LA RUE
SAINTE-CATHERINE

Design graphique : François Daxhelet
Infographie : Chantal Landry
Traitement des images : Mélanie Sabourin
Correction : Brigitte Lépine

Pointe-à-Callière, musée d'archéologie et d'histoire de Montréal

Directrice générale : Francine Lelièvre
Directrice, Expositions et technologies : Louise Pothier
Auteur et conseiller scientifique : Paul-André Linteau
Coordonnatrice à l'édition : Claude-Sylvie Lemery
Collaboratrices à la recherche et à la rédaction : Claude-Sylvie Lemery
    et Geneviève Létourneau-Guillon
Recherche iconographique : Marie-Ève Bélanger, Marie-Ève Bertrand,
    Maïe Fortin, Éric Major, Anne Élisabeth Thibault, Christine Tremblay
    Corneau et Pirogue Communications

Pointe-à-Callière remercie les institutions et les personnes suivantes
pour leur étroite collaboration à cette publication : Archives de la Ville
de Montréal, Atelier d'histoire Hochelaga-Maisonneuve, Bibliothèque
et Archives Canada, Bibliothèque et Archives nationales du Québec,
Centre d'histoire de Montréal, Cinémathèque québécoise, Club de
hockey Canadien, Équipe Spectra, Images Montréal, Musée de la
civilisation, Musée du Château Ramezay, Musée McCord, Office
national du film du Canada, Partenariat du Quartier des spectacles,
Société de la Place des Arts de Montréal, Université Concordia,
Université de Montréal, Université du Québec à Montréal, Université
McGill, ainsi que Caroline Bergeron et Christine Conciatori.

**Pointe-à-Callière est subventionné au fonctionnement
par la Ville de Montréal**

Pointe-à-Callière, musée d'archéologie et d'histoire de Montréal
350, place Royale
Montréal (Québec)
H2Y 3Y5
www.pacmusee.qc.ca

En couverture
La rue Sainte-Catherine en 1964
VM94-A144-26, © Archives de la Ville de Montréal

En 4ᵉ de couverture
Gauche à droite :
1. Au Bon Marché, vers 1920 : Collection initiale, P318, S2, P12,
© Bibliothèque et Archives nationales du Québec, Centre d'archives
de Montréal.
2. La rue Sainte-Catherine Ouest en 1930 : VM94-Z1820,
© Archives de la Ville de Montréal.
3. Le jazz en 2005 : © Festival international de jazz de Montréal,
photographe : Jean-François Leblanc.

DISTRIBUTEURS EXCLUSIFS :

Pour le Canada et les États-Unis :
MESSAGERIES ADP*
2315, rue de la Province
Longueuil, Québec J4G 1G4
Téléphone : 450 640-1237
Télécopieur : 450 674-6237
Internet : www.messageries-adp.com
* filiale du Groupe Sogides inc.,
    filiale du Groupe Livre Quebecor Media inc.

Pour la France et les autres pays :
INTERFORUM editis
Immeuble Paryseine, 3, Allée de la Seine
94854 Ivry CEDEX
Téléphone : 33 (0) 1 49 59 11 56/91
Télécopieur : 33 (0) 1 49 59 11 33
Service commandes France Métropolitaine
Téléphone : 33 (0) 2 38 32 71 00
Télécopieur : 33 (0) 2 38 32 71 28
Internet : www.interforum.fr
Service commandes Export – DOM-TOM
Télécopieur : 33 (0) 2 38 32 78 86
Internet : www.interforum.fr
Courriel : cdes-export@interforum.fr

Pour la Suisse :
INTERFORUM editis SUISSE
Case postale 69 – CH 1701 Fribourg – Suisse
Téléphone : 41 (0) 26 460 80 60
Télécopieur : 41 (0) 26 460 80 68
Internet : www.interforumsuisse.ch
Courriel : office@interforumsuisse.ch
Distributeur : OLF S.A.
ZI. 3, Corminboeuf
Case postale 1061 – CH 1701 Fribourg – Suisse
Commandes :
Téléphone : 41 (0) 26 467 53 33
Télécopieur : 41 (0) 26 467 54 66
Internet : www.olf.ch
Courriel : information@olf.ch

Pour la Belgique et le Luxembourg :
INTERFORUM BENELUX S.A.
Fond Jean-Pâques, 6
B-1348 Louvain-La-Neuve
Téléphone : 32 (0) 10 42 03 20
Télécopieur : 32 (0) 10 41 20 24
Internet : www.interforum.be
Courriel : info@interforum.be

Gouvernement du Québec – Programme de crédit d'impôt pour
l'édition de livres – Gestion SODEC – www.sodec.gouv.qc.ca

L'Éditeur bénéficie du soutien de la Société de développement des
entreprises culturelles du Québec pour son programme d'édition.

Le Conseil des Arts du Canada
The Canada Council for the Arts

Nous remercions le Conseil des Arts du Canada de l'aide accordée à
notre programme de publication.

Nous remercions le gouvernement du Canada de son soutien financier pour nos activités de traduction dans le cadre du Programme
national de traduction pour l'édition du livre.

Nous reconnaissons l'aide financière du gouvernement du Canada
par l'entremise du Fonds du livre du Canada pour nos activités
d'édition.

Dépôt légal : 2010
Bibliothèque et Archives nationales du Québec

ISBN 978-2-7619-2751-2

PAUL-ANDRÉ LINTEAU

LA RUE
SAINTE-CATHERINE

AU CŒUR DE LA VIE MONTRÉALAISE

avec la collaboration de
GENEVIÈVE LÉTOURNEAU-GUILLON
ET CLAUDE-SYLVIE LEMERY

POINTE-À-CALLIÈRE

**Musée d'archéologie
et d'histoire de Montréal**

Montréal ❀

LES ÉDITIONS DE
L'HOMME

Une compagnie de Quebecor Media

AU CŒUR DE MONTRÉAL, UNE RUE INCONTOURNABLE

Qui donc n'a jamais entendu parler de la rue Sainte-Catherine, la grande artère montréalaise par où tout arrive, tout se réalise et se concrétise ?

Est-il possible de trouver une seule personne, qu'elle soit d'ici ou d'ailleurs qui, de passage à Montréal, n'ait foulé cette voie principale qui donne à la ville une voix unique ? Qui ne l'a pas arpentée, admirée, courtisée, explorée, traversée, visitée, habitée et... adoptée ? Oui adoptée, parce que la rue Sainte-Catherine, c'est un peu comme si elle nous appartenait tant on se reconnaît dans ses multiples visages.

Sur une distance de 11 kilomètres, la rue Sainte-Catherine est l'un des reflets les plus fidèles de Montréal. Depuis le XVIIIe siècle, elle s'est développée au rythme de la ville, avec ses hauts et ses bas, ses moments de gloire et ses jours plus sombres. Mais depuis toujours, ses multiples vocations – économique, résidentielle, commerciale et culturelle – ont fait d'elle une rue incontournable et un témoin privilégié de l'histoire de Montréal. À ce chapitre, la rue Sainte-Catherine est également au premier plan des changements majeurs survenus dans les grandes villes modernes, partant de l'avènement du transport en commun, l'implantation d'organismes publics, l'urbanisation du centre-ville jusqu'à l'aménagement des espaces citoyens.

En complément à l'exposition *La rue Sainte-Catherine fait la une* réalisée par Pointe-à-Callière, musée d'archéologie et d'histoire de Montréal, cet ouvrage a été conçu pour enrichir un parcours d'une richesse infinie, au cœur de Montréal et de ses quartiers typés.

En confiant à l'historien Paul-André Linteau la tâche colossale de revisiter le trajet de cette rue emblématique, je savais que l'ouvrage deviendrait une référence, à la fois pour les curieux, les néophytes et même auprès des connaisseurs. C'est la première fois que Sainte-Catherine, comme artère, est le sujet d'un livre et d'une exposition. Il était temps, si l'on en juge par l'itinéraire ici proposé parmi une abondance d'événements marquants.

L'importante quantité d'iconographies, de photos d'époque et d'aujourd'hui fait également de cet ouvrage une précieuse ressource pour qui souhaite revisiter l'histoire de Montréal en parcourant une seule rue et ses alentours immédiats. C'est un réel plaisir pour les yeux que de trouver, çà et là, des images mises en valeur avec beaucoup d'à-propos.

Mes remerciements les plus sincères s'adressent à l'auteur, Paul-André Linteau, qui a réussi à nous offrir un ouvrage aussi imposant, riche et achevé. Merci également à toutes les équipes de Pointe-à-Callière et des Éditions de l'Homme qui l'ont appuyé dans cette démarche et ont travaillé à la réalisation de la publication. Des remerciements s'adressent aussi aux organismes publics, musées et collectionneurs privés qui ont accepté de prêter leurs précieux objets et de fournir les photographies pour reproduction dans le cadre de cet ouvrage. À votre tour maintenant de partir à la rencontre de la rue Sainte-Catherine... Vous en serez ravis !

Lelièvre

Francine Lelièvre

Directrice générale
Pointe-à-Callière,
musée d'archéologie et d'histoire de Montréal

PRÉSENTATION

Mon plus lointain souvenir de la rue Sainte-Catherine remonte à l'enfance. Ma mère m'emmenait de temps à autre, lors d'une de ses expéditions de magasinage, chez Eaton, son magasin préféré. Parfois, nous poussions une pointe jusque chez Morgan ou Simpson. Plus tard, à l'adolescence, mon éveil au théâtre s'est fait le long de cette voie, quand j'allais au vieil Orpheum voir des pièces du Théâtre du Nouveau Monde. Je crois bien que pour chaque étape de ma vie la rue Sainte-Catherine évoque des moments particuliers. Les plus âgés se rappellent peut-être une représentation de Lili St. Cyr, les plus jeunes une soirée aux Foufounes électriques, mais tous les Montréalais ont une mémoire de cette rue mythique et des anecdotes à raconter à son sujet. Même les visiteurs la connaissent. Combien de fois ai-je entendu des collègues étrangers me dire leur fascination après avoir arpenté cette artère si animée ?

La rue Sainte-Catherine existe depuis déjà 250 ans et son histoire est un peu celle de la ville tout entière. Elle a commencé bien modestement, aux marges d'un lointain faubourg, et il lui a fallu plus d'un siècle avant d'atteindre la renommée. Devenue la grande dame du magasinage, elle a attiré à elle des salles de spectacle, des gratte-ciel, des usines et bien d'autres activités. Elle a connu un véritable âge d'or pendant la première moitié du xxe siècle, puis son avenir est apparu incertain. On a annoncé sa mort imminente, mais elle a su renaître avec éclat.

Quand Francine Lelièvre, la directrice générale de Pointe-à-Callière, musée d'archéologie et d'histoire de Montréal, m'a demandé d'écrire cette histoire fascinante, je n'ai pas hésité longtemps, même si je savais que le défi allait être colossal. Ma connaissance de l'histoire de Montréal, que je pratique depuis longtemps, a été fort utile, mais pour mener à bien ce projet il a aussi fallu lire ou relire un grand nombre d'études et compulser des sources très variées. La matière est vaste, car l'histoire de la rue Sainte-Catherine est beaucoup celle du théâtre et du cinéma à Montréal, mais aussi celle du hockey et du tramway, celle des grands magasins et des ateliers de confection, autant que celle des types de maisons ou de la structure des gratte-ciel.

Tout au long des 11 kilomètres de la rue, chaque magasin, chaque salle de spectacle, chaque bureau et même chaque maison a sa propre histoire, différente de celle du voisin. Il faudrait une véritable encyclopédie pour rendre compte en détail de toute cette richesse et de cette diversité. Ce n'était pas l'objectif ici. Il ne s'agissait pas non plus d'établir un palmarès ou un catalogue. Pour chaque époque et pour chaque aspect, je me suis plutôt efforcé d'identifier la spécificité de la rue Sainte-Catherine, tout en la situant dans le contexte plus large de l'évolution de Montréal et en l'illustrant à l'aide d'exemples. Les contraintes de temps et de disponibilité des sources ne permettaient pas de traiter tous les aspects avec la même intensité. J'ai tout de même tenté de brosser le tableau le plus complet possible.

La structure de l'ouvrage est à la fois chronologique, géographique et thématique. Pour chaque époque, le texte tient compte des spécificités de chaque segment de la rue, même si — et c'est inévitable — l'accent porte surtout sur les parties qui drainent le plus d'activités et d'animation. Les multiples dimensions de la vie de la rue sont aussi mises en lumière à tour de rôle.

Le chapitre initial raconte les 130 premières années de la voie, sa naissance, son caractère longtemps résidentiel, puis l'apparition graduelle de l'activité commerciale. Vient ensuite, aux chapitres 2, 3 et 4, ce qu'on peut qualifier d'âge d'or de la rue, de la fin du XIXe siècle aux années 1960 : sa réputation de paradis du magasinage, son rôle de pivot du nouveau centre-ville, puis la riche activité culturelle présente tout au long de la voie et les nombreux divertissements qui s'y greffent. La rue Sainte-Catherine s'y dévoile de façon scintillante. Le dernier chapitre couvre les 40 années qui s'amorcent vers 1970, marquées par de nouveaux défis.

Le texte de base de l'ouvrage s'enrichit de plusieurs encarts et d'un grand nombre d'illustrations. Ils livrent des instantanés du paysage urbain et permettent de mieux saisir la texture de la rue et la richesse architecturale de ses bâtiments. Ils font revivre des moments marquants de son histoire.

Le choix de tous ces éléments s'est fait en conjonction avec la préparation d'une exposition — *La rue Sainte-Catherine fait la une* — présentée à Pointe-à-Callière en 2010-2011. Même s'il en reproduit plusieurs, l'ouvrage n'est cependant pas un catalogue des objets exposés. Il enrichit et complète l'expérience du visiteur. Il a aussi sa vie propre et apporte au lecteur une expérience originale.

Compte tenu de la nature de l'information historique, il a fallu faire certains choix éditoriaux au moment de la rédaction du livre. Ainsi en est-il pour les adresses des immeubles. Le système montréalais de numérotation des portes d'entrée a été modifié à plusieurs reprises à la fin du XIXᵉ et au début du XXᵉ siècle. J'ai choisi d'indiquer la localisation au moyen de la rue transversale la plus proche plutôt que par des adresses changeantes. Les personnes ayant besoin d'une information plus précise peuvent toujours consulter l'annuaire Lovell, publié de 1842 à 1977 et disponible sur le site de Bibliothèque et Archives nationales du Québec.

Le nom de la rue Sainte-Catherine et ceux des autres voies urbaines sont écrits en respectant les règles toponymiques en vigueur depuis plusieurs années à Montréal, comme dans l'ensemble du Québec. Il faut toutefois souligner que pendant longtemps on a utilisé des abréviations telles « Ste » en français et « St. » en anglais.

Une difficulté se posait aussi pour les noms d'entreprises en activité pendant de longues périodes et qui ont changé en cours de route. J'ai choisi la formulation la plus simple, valable dans la longue durée, en supprimant le prénom ou les initiales, l'apostrophe suivie d'un « s » et les appendices du type « Inc. » ou « Ltée ». Par exemple, j'ai retenu le nom Morgan pour désigner l'entreprise qui s'est aussi appelée Henry Morgan & Company et Morgan's.

Tout au long de la préparation de l'ouvrage, j'ai pu compter sur l'appui de collaboratrices hors pair que je remercie très vivement. Geneviève Létourneau-Guillon, diplômée de maîtrise en histoire de l'UQAM, a fait la recherche pour l'exposition *La rue Sainte-Catherine fait la une* et constitué des dossiers documentaires qui ont formé le point de départ de mon propre travail. Elle m'a aidé à diverses étapes de la rédaction, elle a elle-même écrit plusieurs des encarts et elle a mis en forme la bibliographie.

Pendant la phase initiale, Christine Conciatori, alors membre du personnel du Musée, a contribué au travail et rédigé un des encarts. La chargée de projet principale a cependant été Claude-Sylvie Lemery, qui a abattu un travail considérable pour coordonner toutes les étapes de la production de l'ouvrage avec l'ensemble des intervenants. Elle a aussi contribué de façon importante à la sélection des illustrations et a rédigé quelques encarts.

Il faut souligner la collaboration du personnel de divers centres de documentation et dépôts d'archives, notamment de Julie Fontaine, des Archives de la Ville de Montréal, qui m'a fait d'utiles suggestions. Je remercie chaleureusement les amis et collègues qui ont lu le manuscrit et m'ont fait de précieux commentaires, notamment Denise Caron, Michelle Comeau, Pauline Dion, Jean-Claude Robert et Alan Stewart. J'ai aussi pu compter sur l'efficacité des membres de l'équipe des Éditions de l'Homme.

Je veux finalement remercier tout le personnel de Pointe-à-Callière pour son appui constant. Il faut en particulier souligner le rôle d'Anne-Élisabeth Thibault, chargée de projet pour l'exposition *La rue Sainte-Catherine fait la une* et du documentaliste Éric Major, responsable des demandes de droits. À toutes les étapes du projet, j'ai pu compter sur l'aide et les encouragements de Louise Pothier, directrice des expositions et des technologies, et de la directrice générale, Francine Lelièvre. Je veux leur dire à quel point je suis fier d'avoir été associé à une réalisation d'une telle envergure.

Paul-André Linteau

CHAPITRE I

LA NAISSANCE
D'UNE RUE

Comment naît une rue ? La réponse à cette question n'est pas simple. L'ouverture d'une voie de circulation est souvent le résultat de plusieurs interventions distinctes et elle s'inscrit dans un contexte historique et géographique. Ce chapitre examine la formation et la construction de la rue Sainte-Catherine pendant les premiers 150 ans de son histoire. Il suit son parcours à travers les quartiers montréalais, il s'intéresse aux immeubles qui la bordent, aux résidants qui s'y installent et à son émergence comme artère importante.

DES ORIGINES LOINTAINES

La rue Sainte-Catherine a une naissance plutôt indisciplinée. Elle n'est pas le produit d'un tracé bien net, sorti tout droit de la tête des ingénieurs des Travaux publics. C'est d'abord un petit bout de chemin, apparu au milieu du XVIIIe siècle, presque en pleine campagne, et il lui faut quelques décennies pour devenir une véritable rue. En outre, d'autres tronçons apparaissent ailleurs ; on doit les relier entre eux, puis les prolonger. De temps à autre, on en élargit une partie. Au total, plus d'un siècle et demi s'écoulera avant que la rue Sainte-Catherine ne soit ouverte sur tout son parcours.

UN AIR TRANQUILLE
Vers 1870, la rue Sainte-Catherine, dans le quartier Saint-Antoine, a surtout un caractère résidentiel.

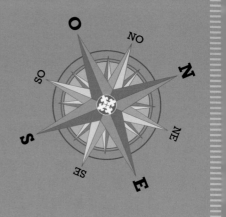

UNE RUE DÉBOUSSOLÉE

On a l'impression que la rue Sainte-Catherine va d'ouest en est (ou vice-versa), mais est-ce bien le cas ? Les Montréalais ont depuis toujours une bien curieuse façon de traiter les points cardinaux. Ce qu'ils appellent « est » pointe presque vers le nord (en fait, le nord-nord-est), tandis que leur « nord » est en réalité en direction ouest-nord-ouest. Pour éviter toute confusion, nous nous en tiendrons à l'usage montréalais, même s'il ne correspond pas à la réalité géographique.

OUVRIR UNE RUE À MONTRÉAL

À Montréal, autour de la vieille ville, les voies rurales, tel le chemin de Saint-Laurent, ont été ouvertes par le grand voyer. Pour le reste, la plupart des rues sont tracées par les propriétaires des terres agricoles. Comme ailleurs au Québec, ces terres ont la forme de très longs rectangles. À partir du fleuve, elles s'étirent sur plus d'un kilomètre vers l'intérieur de l'île. Les rues dans l'axe des terres (sud-nord) sont tracées par le propriétaire, devenu promoteur, au moment du lotissement de sa propriété. Il leur donne souvent son nom ou celui de membres de sa famille. Pour les voies ouest-est, comme la rue Sainte-Catherine, l'opération est plus complexe, car elles traversent un grand nombre de terres. Il faut alors convaincre chaque propriétaire de participer à l'ouverture de la rue et de tenir compte de l'axe choisi par ses voisins. Certains se font tirer l'oreille et il faut parfois faire intervenir les autorités et même recourir aux tribunaux. En règle générale, ces chemins sont, dès leur création, des voies publiques et relèvent de la municipalité. Normalement, les promoteurs cèdent gratuitement cette portion de leur domaine, car l'ouverture de rues, coûteuse, est essentielle à la vente de lots et donc à la rentabilité de leurs investissements. Il arrive parfois qu'il faille les exproprier, surtout quand on veut élargir les rues existantes.

Longtemps, les autorités municipales sont à la remorque des promoteurs et ne font qu'entériner leurs décisions. Au début du XIXe siècle, il n'y a même pas de municipalité constituée — le premier conseil municipal n'est élu qu'en 1833. Avant cette date, les questions relatives à la voirie sont traitées par les juges de paix, nommés par le gouvernement pour gérer la ville.

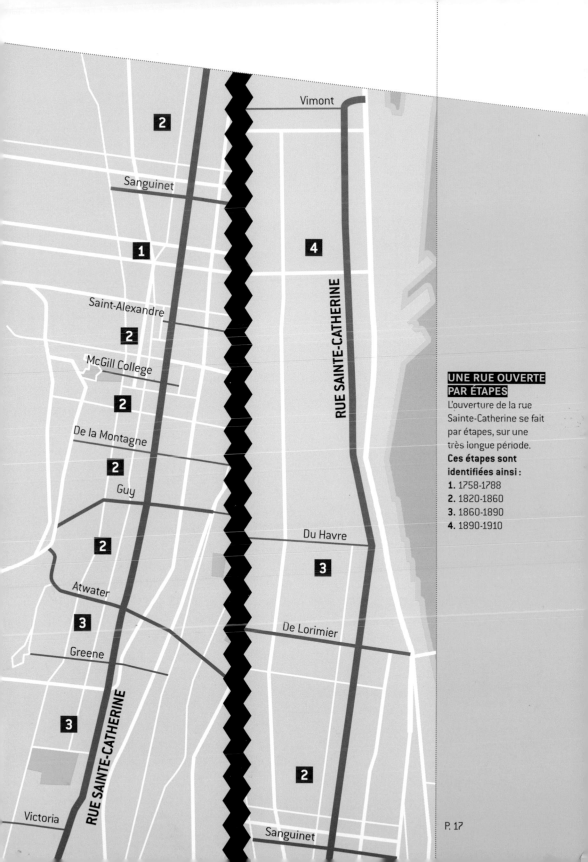

Vimont

2

Sanguinet

1

Saint-Alexandre

2

McGill College

2

De la Montagne

2

Guy

2

Du Havre

3

Atwater

3

De Lorimier

Greene

3

RUE SAINTE-CATHERINE

Victoria

RUE SAINTE-CATHERINE

2

Sanguinet

4

RUE SAINTE-CATHERINE

UNE RUE OUVERTE PAR ÉTAPES

L'ouverture de la rue Sainte-Catherine se fait par étapes, sur une très longue période. **Ces étapes sont identifiées ainsi :**
1. 1758-1788
2. 1820-1860
3. 1860-1890
4. 1890-1910

JACQUES VIGER ET LES RUES DE MONTRÉAL

Montréalais de naissance, Jacques Viger (1787-1858) est journaliste, milicien, auteur, archéologue, historien, archiviste, inspecteur des chemins, et le premier maire de Montréal. Il débute sa carrière dans l'administration publique en 1813 en obtenant le poste d'inspecteur des grands chemins, rues, ruelles et ponts de Montréal, fonction qu'il occupera jusqu'en 1840. C'est l'époque où le réseau des rues est mis en place et où l'administration municipale montréalaise en est à ses débuts. En tant qu'inspecteur, Jacques Viger fait exécuter divers travaux, dont le drainage, pour assainir les faubourgs, l'alignement, le pavage et l'aplanissement des voies. En 1817 et en 1837, il dresse des inventaires des rues de Montréal qui sont, encore aujourd'hui, de précieuses sources pour les historiens.

Jacques Viger, que l'on voit ici vers 1850, participe également au recensement de la population de l'île de Montréal en 1825, dont il tire des tableaux particulièrement riches pour comprendre la ville et ses faubourgs à cette époque. À la suite de la création d'institutions municipales, Viger devient maire de la ville en 1833, poste qu'il conserve jusqu'en 1836. C'est d'ailleurs lui qui dessine les premières armoiries de Montréal.

Il est aussi reconnu en tant qu'érudit et collectionneur. Il fait notamment partie des fondateurs de la Société historique de Montréal. Sa célèbre *Saberdache*, où il consigne ses observations et rassemble divers documents historiques sur sa ville, représente une source importante pour l'histoire de Montréal. (CC)

LE FAUBOURG SAINT-LAURENT EN 1825

Cet extrait d'un plan de Montréal montre bien les rues et le bâti du faubourg en expansion. La centralité de la rue Saint-Laurent ressort avec force, tandis que la rue Sainte-Catherine apparaît encore peu peuplée. En bas, à droite, on voit une partie du petit faubourg Saint-Louis (page de droite).

Depuis l'adoption de la Loi des chemins, en 1796, ceux-ci ont le pouvoir d'homologuer et de faire construire des rues et d'imposer des cotisations pour en payer le coût. Ils nomment un inspecteur des chemins, premier fonctionnaire responsable de la voirie locale. Auparavant, ces tâches relevaient du grand voyer ou de son délégué à Montréal.

UN LONG PROCESSUS

La rue Sainte-Catherine est d'abord tracée par des propriétaires, des deux côtés de la rue Saint-Laurent, dans le faubourg du même nom. Selon l'historien Alan Stewart, la rue est ouverte par petits tronçons, de façon discontinue. Un premier apparaît vers 1758 et d'autres s'ajoutent en 1762, puis en 1782, 1785 et 1788. À la fin du XVIIIe siècle, la voie, d'une largeur de

7,8 mètres (24 pieds), relie les rues Saint-Alexandre et Sanguinet. Vers l'est, elle est peu à peu prolongée, au moins jusqu'à la rue Panet, par des chemins privés, devenus publics dans les années 1820.

À l'ouest de la rue Saint-Alexandre, l'ouverture de la voie est faite plus tardivement. Il faut attendre le début des années 1840 avant qu'elle arrive à l'avenue McGill College (autrefois Sainte-Monique) ; peu après, elle rejoint la rue de la Montagne. Pendant la décennie suivante, elle est prolongée vers la rue Guy, puis jusqu'aux limites ouest de la ville, à l'avenue Atwater. Au-delà, dans Westmount (autrefois partie de Notre-Dame-de-Grâce, puis Côte Saint-Antoine), elle atteint l'avenue Greene en 1872, puis la rue Victoria dans les années 1880.

Plus à l'est, le segment entre l'avenue De Lorimier et la rue Fullum, complété en 1863, est prolongé jusqu'à la rue du Havre dans la décennie suivante. Vers 1890, plusieurs tronçons de la rue Sainte-Catherine sont déjà tracés dans Hochelaga et dans Maisonneuve, mais il faut attendre la première décennie du XXᵉ siècle pour qu'elle soit entièrement aménagée jusqu'à la rue Vimont. Finalement, dans les années 1950, un court segment est ajouté à chaque extrémité : à l'est, un petit crochet vers le sud amène la rue Sainte-Catherine jusqu'à la rue Notre-Dame, tandis que, dans Westmount, un autre crochet, vers le nord, lui permet de rejoindre le boulevard De Maisonneuve. La voie atteint alors une longueur de 11,2 km. Au cours du XXᵉ siècle, le toponyme Sainte-Catherine est aussi attribué à des portions de rues, entrecoupées, situées dans Montréal-Est et Pointe-aux-Trembles. Très éloignées de la voie principale, elles ne seront pas abordées ici.

LA MAISON DES FAUBOURGS MONTRÉALAIS

Cette maison de bois, rue Vitré, vers 1900, est typique des faubourgs de Montréal. Des milliers de ces maisons sont érigées entre le milieu du XVIIIᵉ et le milieu du XIXᵉ siècle. La plupart disparaîtront, victimes des incendies ou du pic des démolisseurs.

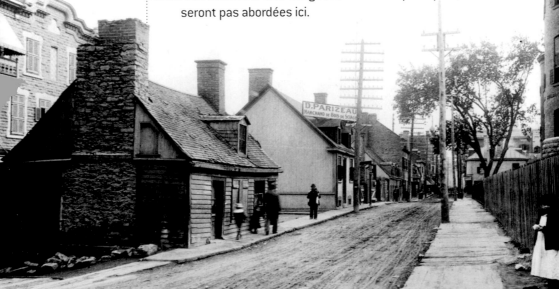

REQUÊTE DE PROPRIÉTAIRES POUR L'OUVERTURE DE LA RUE SAINTE-CATHERINE À L'EST DE LA RUE SAINT-DENIS EN 1820

« L'accroissement considérable de population et la subdivision étonnante et rapide en emplacement – qui se sont faites depuis quelques années aux faubourgs St. Laurent et St. Louis, – sont dues en grande partie et principalement à la manière avantageuse dont ils sont percés, et à l'ouverture récente de plusieurs rues tant perpendiculaires que latérales au Fleuve ; [...] Si donc, il était ouvert quelques communications latérales ou parallèles au Fleuve de la rue St Denis (faubourg St Louis), jusqu'au chemin Papineau (faubourg Québec) ou plus loin encore ; vos Exposant sont d'opinion que tout le terrain compris entre ces nouvelles rues et la grande rue Ste Marie, au dit faubourg Québec, - serait sous peu d'années couvert d'habitations : parce que les rues perpendiculaires ayant, au moyen de ces communications latérales, un débouché qui rapprocherait et lierait pour ainsi dire leur population avec celle des autres faubourgs, on les verrait bientôt se prolonger et se subdiviser en emplacement. [...] que la rue Ste. Catherine (une des rue latérales des faubourgs St Laurent et St Louis) qui termine actuellement à la rue St Denis, et qui semble présenter moins d'obstacles légales à être prolongée, qu'aucune des autres, soit ouverte depuis la [jonction de la] rue St Denis jusqu'au chemin Papineau, ou au-delà, pour ouvrir une des communications tant désirées entre ces faubourgs et celui Ste Marie, et dont les avantages public et privé doivent être si facilement présentés. »

UN NOM ÉNIGMATIQUE

La rue Sainte-Catherine est donc le produit d'un assemblage d'époques et de territoires, mais d'où lui vient son nom ? Ici, on nage dans l'incertitude et des auteurs ont lancé diverses hypothèses. Pour compliquer les choses, certains plans (comme celui de Charland en 1801) lui attribuent même un mauvais toponyme, Mignonne, qui est le nom de la voie plus au nord. Comme l'écrit Alan Stewart, la rue s'est longtemps appelée Sainte-Geneviève (et même, un temps, Saint-Gabriel) au XVIIIe siècle, à une époque où la toponymie est encore floue et où les noms de rues changent fréquemment. Au début du XIXe siècle, le toponyme Sainte-Catherine s'impose. Le choix pourrait s'expliquer, selon E.-Z. Massicotte, par imitation du nom de la côte Sainte-Catherine. Pour Cléphas Saint-Aubin, il rendrait hommage à Catherine de Bourbonnais — peut-être une fille naturelle de Louis XV — qui aurait vécu plus d'un demi-siècle à Montréal et serait décédée en 1805. Une troisième explication, peut-être la plus vraisemblable, est avancée par un fonctionnaire municipal qui attribue la responsabilité du toponyme à Jacques Viger, inspecteur des chemins à compter de 1813. Il aurait choisi le prénom d'une de ses belles-filles, Catherine Elizabeth. Divers auteurs, dont J. D. Borthwick et Lorenzo Prince, croient que ce choix relève plutôt du calendrier religieux (la fête de sainte Catherine est célébrée le 25 novembre de chaque année), mais sans démonstration précise. Comme aucun document officiel

LES RAVAGES DU GRAND INCENDIE
L'église Saint-Jacques, après le passage du grand incendie du 9 juillet 1852. Dans la ville, la conflagration s'étend dans deux secteurs : l'est du faubourg Saint-Laurent et le faubourg Québec (Sainte-Marie). Elle détruit 1200 maisons et laisse près de 10 000 personnes sur le pavé.

n'atteste l'attribution de ce toponyme, la question ne peut être résolue. L'origine de la rue Sainte-Catherine appartient au domaine de la légende.

LES DÉBUTS DANS L'EST DE LA VILLE

L'histoire de la rue Sainte-Catherine débute dans le faubourg Saint-Laurent, l'un des plus anciens et le plus peuplé des faubourgs de Montréal. Celui-ci commence à se développer en 1736, le long du chemin rural qui, partant des fortifications, se dirige vers la paroisse de Saint-Laurent, dans le nord de l'île. Au début, les maisons y forment une longue bande, des deux côtés de ce qui est aujourd'hui le boulevard Saint-Laurent. La population augmentant, on voit apparaître des rues parallèles, des deux côtés, puis des rues perpendiculaires qui s'étirent vers l'est et vers l'ouest. La rue Sainte-Catherine est de celles-ci.

Le faubourg Saint-Laurent connaît une expansion rapide. Il compte plus de 1100 habitants en 1781 et plus de 3500 en 1810. En 1825, sa population atteint 7500 habitants, soit le tiers du total de la ville. Il attire surtout des artisans, notamment dans les métiers de la construction, et des journaliers, car le coût du logement y est moins élevé que dans la vieille ville. Jacques Viger distingue même dans ce faubourg une partie est et une partie ouest, séparées par le boulevard Saint-Laurent. En 1825, les francophones sont majoritaires dans les deux parties, mais ils le sont plus dans l'est que dans l'ouest, où pointe une minorité britannique plus nombreuse.

LES QUARTIERS SAINT-LOUIS ET SAINT-JACQUES

Attardons-nous d'abord sur la partie est du faubourg. En 1833, lors de la création des quartiers municipaux, cette portion du territoire, entre le boulevard Saint-Laurent et la rue Saint-André (alors Lacroix) devient le

UN TÉMOIN DÉCRIT L'INCENDIE DU 8 JUILLET 1852

« [J']arrivais [en ville] juste au moment où l'incendie prenait naissance à 10 heures du matin. Le feu commença rue Saint-Laurent, entre les rues Sainte-Catherine et Dorchester, côté nord. La cheminée d'une forge s'enflamma et mit le feu à un petit grenier à foin situé dans le voisinage. Le quartier, qui était alors en grande partie construit en bois, prit facilement feu. Comme il arrive ordinairement dans les incendies, le vent se mit de la partie. Bientôt un vaste brasier, s'étendant jusqu'au pied du Coteau Baron, et à quelque distance de l'hôpital anglais en descendant, forma la ceinture du feu qui devait envelopper dans sa marche la moitié du quartier Saint-Laurent et la plus grande partie du quartier Saint-Jacques. Vers trois heures de l'après-midi, cette vaste partie de la ville était réduite en cendres. Le petit hospice Saint-Joseph, résidence des vieux prêtres, l'asile de la Providence et la Maternité restèrent seuls debout. »

Récit de l'abbé Pierre Poulin

quartier Saint-Louis. En 1845, la limite de ce dernier est ramenée à la rue Saint-Denis. Là commence un quartier nouvellement créé, celui de Saint-Jacques, qui va jusqu'à la rue Panet (et jusqu'à la rue de la Visitation en 1851). Les propriétaires des terres, dans cette zone, appartiennent souvent aux grandes familles francophones, les Valois, les Guy, les Papineau, les Viger, les Cherrier, les Lacroix et quelques autres. Ce sont eux qui font ouvrir un premier chemin et lotir leur domaine.

En 1801, selon le plan de Charland, la rue Sainte-Catherine ne va guère plus loin que la rue Sanguinet. Les maisons y sont rares et elle traverse des terrains qui sont encore en vergers. En 1825, le plan de Adams montre une voie qui atteint la rue Saint-André. Des concentrations de maisons sont visibles près du boulevard Saint-Laurent et de la rue Sanguinet, tandis qu'à l'angle de la rue Saint-Denis se trouve la résidence de l'évêque Jean-Jacques Lartigue, flanquée de l'église Saint-Jacques, future cathédrale, inaugurée cette année-là. Deux décennies plus tard, d'après le plan de Cane (1846), la voie traverse entièrement les quartiers Saint-Louis et Saint-Jacques et se poursuit même au-delà. Les maisons y sont beaucoup plus nombreuses, surtout entre le boulevard Saint-Laurent et la rue Saint-Denis. Construites en bois, avec une ou deux cheminées en pierre ou en brique, elles suivent le modèle de la maison type des faubourgs montréalais, avec un toit à double pente percé de lucarnes.

Le grand incendie de juillet 1852, qui détruit plus d'un millier de maisons dans l'est de la ville, vient tout raser dans cette partie de la rue Sainte-Catherine, y compris la cathédrale. La Ville s'empresse d'adopter un règlement qui interdit les nouvelles constructions toutes en bois ; dorénavant, les édifices devront être recouverts de brique ou de pierre. Après la conflagration,

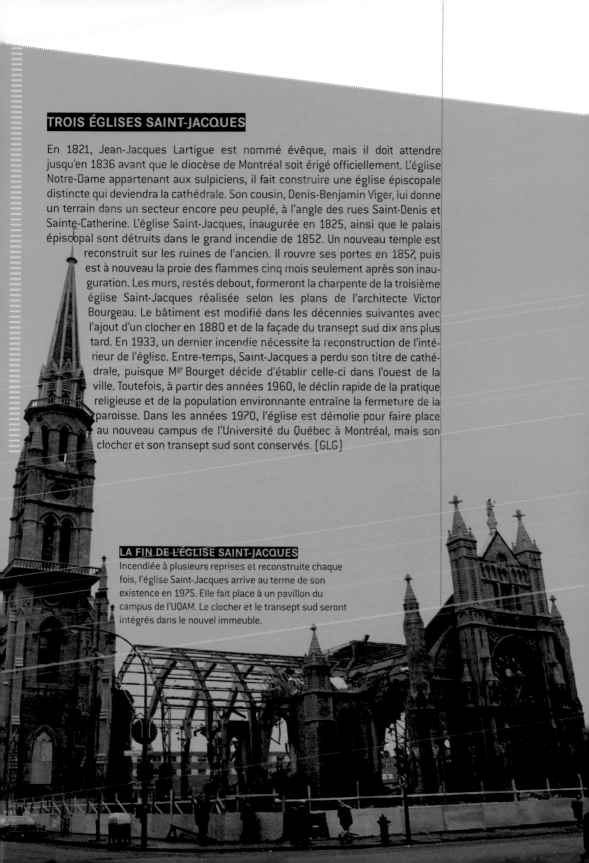

TROIS ÉGLISES SAINT-JACQUES

En 1821, Jean-Jacques Lartigue est nommé évêque, mais il doit attendre jusqu'en 1836 avant que le diocèse de Montréal soit érigé officiellement. L'église Notre-Dame appartenant aux sulpiciens, il fait construire une église épiscopale distincte qui deviendra la cathédrale. Son cousin, Denis-Benjamin Viger, lui donne un terrain dans un secteur encore peu peuplé, à l'angle des rues Saint-Denis et Sainte-Catherine. L'église Saint-Jacques, inaugurée en 1825, ainsi que le palais épiscopal sont détruits dans le grand incendie de 1852. Un nouveau temple est reconstruit sur les ruines de l'ancien. Il rouvre ses portes en 1857, puis est à nouveau la proie des flammes cinq mois seulement après son inauguration. Les murs, restés debout, formeront la charpente de la troisième église Saint-Jacques réalisée selon les plans de l'architecte Victor Bourgeau. Le bâtiment est modifié dans les décennies suivantes avec l'ajout d'un clocher en 1880 et de la façade du transept sud dix ans plus tard. En 1933, un dernier incendie nécessite la reconstruction de l'intérieur de l'église. Entre-temps, Saint-Jacques a perdu son titre de cathédrale, puisque Mgr Bourget décide d'établir celle-ci dans l'ouest de la ville. Toutefois, à partir des années 1960, le déclin rapide de la pratique religieuse et de la population environnante entraîne la fermeture de la paroisse. Dans les années 1970, l'église est démolie pour faire place au nouveau campus de l'Université du Québec à Montréal, mais son clocher et son transept sud sont conservés. (GLG)

LA FIN DE L'ÉGLISE SAINT-JACQUES

Incendiée à plusieurs reprises et reconstruite chaque fois, l'église Saint-Jacques arrive au terme de son existence en 1975. Elle fait place à un pavillon du campus de l'UQAM. Le clocher et le transept sud seront intégrés dans le nouvel immeuble.

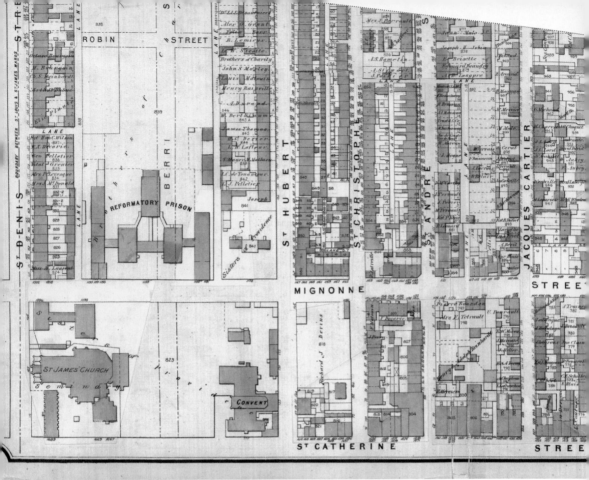

LE COMPLEXE RELIGIEUX DE SAINT-JACQUES VERS 1890

Ce plan de Charles Goad indique la localisation des immeubles qui forment le complexe religieux de la rue Sainte-Catherine et des environs, dans le quartier Saint-Jacques.

la reconstruction s'engage rapidement, mais il faut une vingtaine d'années avant que les bâtiments détruits soient complètement remplacés. Cette période coïncide avec l'apparition, un peu partout dans la ville, de nouveaux modèles de maisons. Le toit en pente fait place au toit plat, souvent mansardé, et les immeubles ont deux ou trois étages. Cela permet de répondre à la forte demande de logements locatifs dans un Montréal en croissance rapide, dont la population double en 20 ans, dépassant les 107 000 habitants en 1871 et commençant même à déborder vers une nouvelle banlieue. La progression se poursuit puisque, en 1901, la ville abrite 268 000 personnes, et même 325 000 si on y ajoute sa périphérie.

Les quartiers Saint-Louis et Saint-Jacques participent pleinement à cette expansion urbaine et leur population ne cesse d'augmenter pendant la seconde moitié du XIXe siècle. Ils comptent respectivement 15 000 et 17 000 habitants en 1871, puis 27 000 et 40 000 en 1901. On est ici au cœur du Montréal francophone et Saint-Jacques devient le quartier le plus français de toute la ville.

LA CHAPELLE NOTRE-DAME-DE-LOURDES

D'influence romano-byzantine, la chapelle Notre-Dame-de-Lourdes est réalisée par Napoléon Bourassa, qui en conçoit les plans et la décoration intérieure. Inaugurée en 1876, la chapelle est située dans un secteur qui réunit plusieurs établissements religieux.

Ce territoire compte peu de grandes usines ; c'est plutôt le royaume de la boutique et de l'atelier. Les artisans et les ouvriers y sont nombreux. Ils habitent surtout les rues transversales, quoiqu'on en retrouve aussi rue Sainte-Catherine. Le long de cette artère, la présence la plus forte associée au milieu artisanal et à la classe ouvrière est celle de l'Union Saint-Joseph, une société de secours mutuel fondée en 1851 et qui, dès 1856, fait ériger un immeuble près de la rue Sainte-Élisabeth.

AU CŒUR DE L'ÉLITE FRANCOPHONE

En plein centre de ce Montréal populaire se développe peu à peu un secteur cossu et élégant, celui de la bourgeoisie francophone. Quittant un Vieux-Montréal encombré, celle-ci se répand le long des rues Saint-Denis et Saint-Hubert, entre les squares Viger et Saint-Louis. Ses représentants se font construire de grandes et solides maisons dotées de façades en pierre. Bien peu habitent le long de la rue Sainte-Catherine elle-même, qui attire plutôt des magasins à l'affût d'une clientèle aussi intéressante. La présence de ce groupe social marque fortement l'espace environnant pendant plusieurs décennies.

La rue attire même des usines. Une importante concentration industrielle s'y trouve, à proximité de l'avenue De Lorimier (alors Colborne) et de la rue Parthenais. Dès 1863, la tannerie Galibert ouvre ses portes, suivie quelques années plus tard de l'usine de toile cirée de la Dominion Oil Cloth, qui connaîtra ensuite une expansion considérable. Dans les années 1880 s'ajoutent les vastes ateliers du Canadien Pacifique, mais aussi l'abattoir de la famille Laing et les fours à chaux de Henry Gauthier.

Dans Sainte-Marie comme dans Saint-Jacques, l'artère a son pôle religieux, situé à l'angle de la rue Fullum. Les sœurs de la Providence y font ériger un grand couvent, leur nouvelle maison mère, en 1888, tandis qu'en face se trouve l'église paroissiale de Saint-Vincent-de-Paul, construite dix ans plus tôt.

Au fil du temps, cette portion de la rue devient, elle aussi, commerciale. De nombreux magasins et services de proximité s'y installent, mais ils n'ont pas l'ampleur ni la renommée de ceux de la portion précédente.

Ainsi, dans l'est de la ville, au cœur du Montréal francophone, la rue Sainte-Catherine traverse des environnements assez distincts, celui de Saint-Louis et Saint-Jacques, d'une part, celui de Sainte-Marie, d'autre part. Le contraste est cependant encore plus marqué quand on aborde la partie occidentale de la voie.

LA BOUCHERIE LAING EN 1894
Cet établissement est situé à l'angle de la rue Parthenais, dans le quartier Sainte-Marie. Les viandes, provenant de l'Abattoir de l'Est, sont préparées ici en vue de la revente.

DANS LES BEAUX QUARTIERS

Dès son origine, la rue Sainte-Catherine traverse toute la partie ouest du faubourg Saint-Laurent, jusqu'à la rue Saint-Alexandre. Au-delà, il n'y a que des fermes et des champs, situés dans le faubourg Saint-Antoine. Le développement de celui-ci, plus récent, est concentré au sud, le long de son chemin principal, la rue Saint-Antoine. Il faut attendre les années 1840 avant que la rue Sainte-Catherine s'y avance.

Entre-temps, les deux faubourgs deviennent des quartiers de la ville, appelés précisément Saint-Laurent et Saint-Antoine. La limite entre les deux suit les rues Saint-Alexandre, au sud de la rue Sainte-Catherine, et City Councillors, au nord.

EN PLEINE CAMPAGNE

Au début du XIXe siècle, les familles Guy et Bagg, parmi les plus grands propriétaires fonciers de Montréal, possèdent certaines des terres que la rue Sainte-Catherine traversera. D'autres sont acquises par de grands marchands de fourrures — tels les Durocher, McTavish, Frobisher, McGill (puis son beau-fils Desrivières) — qui réinvestissent dans le sol une partie des profits de leur lucratif commerce. Assez rapidement, les anglophones forment les principaux propriétaires de cette partie de la ville. À l'ouest de la rue Guy, les terres font partie du Domaine de la Montagne, appartenant aux prêtres du Séminaire de Saint-Sulpice, seigneurs de l'île de Montréal.

En 1825, la voie publique s'arrête toujours à la rue Saint-Alexandre et elle est encore vide sur une bonne partie de son parcours. Les habitations, dispersées, sont surtout situées du côté sud, sauf pour une rangée de maisons à l'ouest de la rue De Bleury. Une vingtaine d'années plus tard, en 1846, la situation n'a guère changé. Tout le côté nord, entre les rues Saint-Urbain

VUE DE MONTRÉAL VERS 1850

Les points de vue sur Montréal depuis la montagne sont fréquents chez les artistes du XIXe siècle. Cette œuvre de James Duncan permet de voir, à l'avant-plan, les champs qui couvrent encore une partie du quartier Saint-Antoine.

et De Bleury, est encore occupé par de grandes propriétés entourées de jardins et de vergers. Les maisons se retrouvent entre le boulevard Saint-Laurent et la rue Jeanne-Mance (Saint-Simon), côté sud, puis entre les rues De Bleury et Aylmer. La voie est alors prolongée jusqu'à la rue de la Montagne, mais aucune maison n'est encore érigée dans ce secteur.

LE QUARTIER SAINT-LAURENT

Pendant longtemps, l'urbanisation se concentre donc dans Saint-Laurent et connaît un rythme plus lent que dans l'est de la ville. La population de ce quartier atteint 13 000 habitants en 1861 et stagne longtemps à ce niveau, puis elle augmente un peu vers la fin du siècle, pour atteindre près de 22 000 personnes en 1901. Les francophones, encore majoritaires en 1825, y deviennent rapidement minoritaires, et comptent pour moins de 30 % des résidants dans le dernier tiers du siècle. Le quartier est surtout peuplé d'artisans et d'ouvriers, mais certaines parties présentent des caractéristiques bourgeoises s'apparentant à celles de Saint-Antoine.

Près du boulevard Saint-Laurent, on trouve, rue Sainte-Catherine, divers magasins, notamment plusieurs épiceries. L'intersection de ces deux artères devient d'ailleurs, dans les dernières décennies du siècle, l'une des plus achalandées de Montréal.

L'INTERSECTION DE LA RUE SAINTE-CATHERINE ET DU BOULEVARD SAINT-LAURENT VERS 1905
Cette intersection est l'une des plus achalandées de la ville. Pendant des décennies, le magasin de chaussures Fogarty y occupe l'angle sud-est.

L'INSTITUT NAZARETH

L'asile, fondé en 1861 et situé entre les rues Jeanne-Mance et Saint-Urbain, est une œuvre catholique qui se spécialise rapidement dans l'aide aux aveugles. Dix ans plus tard, l'Institut est agrandi et une chapelle y est adjointe. L'exiguïté et la vétusté des lieux forcent le départ des Sœurs Grises en 1932. L'établissement deviendra ensuite un orphelinat et un foyer pour jeunes délinquants. Au début des années 1960, le site sera choisi pour la construction de la Place des Arts.

Parfois, l'activité commerciale se limite au rez-de-chaussée et des ouvriers logent aux étages supérieurs.

Cette portion de la voie se distingue par une forte concentration d'établissements d'enseignement catholiques. À l'angle de la rue Saint-Urbain, les frères de Saint-Gabriel dirigent l'Orphelinat Saint-François-Xavier, tandis qu'en face les sœurs de la Congrégation Notre-Dame ont la responsabilité de l'école Saint-Laurent. Entre les rues Saint-Urbain et Jeanne-Mance, un vaste quadrilatère abrite l'Académie commerciale du Plateau (Commission des Écoles catholiques de Montréal), l'Institut Nazareth pour les aveugles et la salle d'asile Nazareth (Sœurs Grises), ainsi que l'Orphelinat catholique (fondé et dirigé par des laïcs, puis repris par les Sœurs Grises en 1889). Près de la rue De Bleury, les religieuses du Sacré-Cœur dirigent l'Académie du même nom jusqu'en 1888, alors qu'elles déménagent leur établissement rue Saint-Alexandre. En outre, une entreprise privée installe, à l'angle de la rue Saint-Urbain, le Cyclorama de Jérusalem, un vaste panorama d'histoire sainte qui sera plus tard déménagé au sanctuaire de Sainte-Anne-de-Beaupré.

UNE VILLE NOUVELLE

L'image de la rue change du tout au tout quand on arrive dans Saint-Antoine : là, l'ouvrier fait place au riche bourgeois, le catholique au protestant. Occupant tout le coin nord-ouest de la ville, ce quartier est l'un des plus grands de Montréal et, comme celui de Sainte-Marie, l'un des derniers à être développé. Sa population passe de 15 000 en 1861 à près de 48 000 en 1901.

Le peuplement de ce territoire est marqué par un double mouvement : démographique et social d'une part, urbanistique de l'autre. Pendant deux siècles, les hommes d'affaires ont toujours habité dans le Vieux-Montréal. Leur résidence se trouvait dans la même maison que leur magasin, ou à proximité. La croissance de l'activité économique, dans la première moitié du XIXe siècle, exige la construction de magasins et d'entrepôts plus nombreux et plus vastes, ce qui compromet la cohabitation du résidentiel et du commercial. Les hommes d'affaires, d'ailleurs plus nombreux, commencent à regarder ailleurs pour installer leur famille, d'autant plus que leurs moyens leur permettent de se faire construire de plus grandes maisons. En quelques décennies à peine, on assiste à une grande migration de la bourgeoisie montréalaise vers de nouveaux quartiers. Les francophones choisissent, comme nous l'avons vu, la rue Saint-Denis et ses environs, tandis que les anglophones sont plus attirés vers l'ouest et vers les pentes qui mènent au mont Royal. Le quartier Saint-Antoine, avec ses vastes terres pas encore urbanisées, offre sur ce plan un potentiel considérable.

Au début des années 1840, de nouveaux propriétaires, qui ont acquis les terres des anciens marchands de fourrures, se montrent disposés à les faire lotir pour répondre à la nouvelle demande résidentielle. Ils appartiennent eux aussi à la bourgeoisie anglo-écossaise. Parmi eux ressortent des hommes d'affaires comme John Redpath et Thomas Phillips, et des avocats comme Duncan Fisher et James Smith. Ils veulent cependant rompre avec les traditions foncières en usage jusque-là. Ils proposent l'adoption d'un nouvel urbanisme, inspiré des idées à la mode dans l'aménagement des villes britanniques. La *New Town* d'Édimbourg, en Écosse, conçue à partir de 1766, a popularisé la création d'un nouveau type de rue, plus longue et plus large, bordée de maisons élégantes et offrant au regard une belle perspective. Certaines de ces rues sont flanquées, à l'arrière, d'une voie de service, plus étroite. En quelques années à peine,

PLAN DE LOTISSE-MENT EN 1845

Cette publicité d'un plan de lotissement d'une partie de l'ancien domaine McTavish met en évidence la rue Sainte-Catherine. À 19,50 m (64 pieds), elle est un peu plus large que les rues transversales. Les lots sont conçus pour la construction de maisons jumelées. À noter, le tracé des ruelles deviendra un classique montréalais.

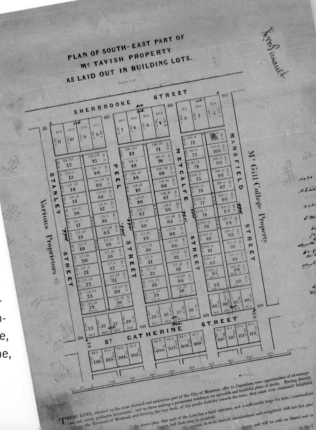

de 1842 à 1845, certains des grands propriétaires du quartier Saint-Antoine font dresser des plans de lotissement de leurs terres, reprenant les principes de la *New Town* d'Édimbourg. Ces plans prévoient des rues plus larges que celles qui existaient jusque-là à Montréal et des lots assez vastes pour une clientèle riche. Certains introduisent aussi le concept de la ruelle dans le paysage montréalais. Tous incluent le prolongement de la rue Sainte-Catherine, perçue comme un axe transversal important.

Ces promoteurs donnent vraiment l'impression de créer, eux aussi, une ville nouvelle à Montréal. Leur initiative répondra bien aux aspirations de la bourgeoisie anglophone, comprenant un grand nombre d'Écossais, pour lesquels Édimbourg et, plus généralement, les modèles britanniques, ont une résonance particulière. Le développement de ces nouveaux lotissements démarre lentement, mais la formidable poussée de construction qui touche Montréal pendant les décennies de 1850 et 1860 fait son œuvre et permet le véritable démarrage du quartier Saint-Antoine. Selon le géographe David Hanna, la mise en chantier de l'aqueduc municipal, en 1853, représente un incitatif important. La disponibilité de l'eau courante en convainc plusieurs de quitter les rues étroites de la vieille ville pour s'installer sur des terrains plus éloignés. La rue Sainte-Catherine se retrouve ainsi au cœur d'un tout nouvel espace urbain, aux caractéristiques inédites.

Le quartier Saint-Antoine se distingue non seulement par ses innovations urbanistiques, mais aussi par la diffusion de nouveaux modèles de maisons. En premier lieu vient la mode des *Terrace Houses,* d'inspiration britannique. Il s'agit d'une rangée de maisons unifamiliales identiques — généralement de six à huit —, présentant une façade unifiée. L'une des premières à Montréal, appelée Wellington Terrace, est précisément érigée rue Sainte-Catherine, entre l'avenue McGill College et la rue Mansfield. Œuvre du réputé architecte George Browne, elle est construite en 1855-1856. Rapidement, les ensembles de ce type se multiplient, aussi bien le long de la rue Sainte-Catherine que des voies transversales, notamment l'avenue McGill College. Au 1074 rue Sainte-Catherine, près de la rue Drummond, l'homme politique Thomas D'Arcy McGee habite une maison de la terrasse Montmorency de 1864 jusqu'à son assassinat, en 1868. La mode des *Terrace Houses* ne dure qu'une quinzaine d'années. À partir des années 1870, on continue à construire des rangées de maisons, mais chacune y affirme désormais son individualité.

Un autre type de construction prend de l'importance dans le quartier Saint-Antoine à la même époque. La villa est une grande maison unifamiliale

LA RUELLE MONTRÉALAISE

La ruelle semble faire partie du paysage montréalais depuis toujours. Pourtant, elle n'apparaît qu'au milieu du xixᵉ siècle, dans le quartier Saint-Antoine. Selon le géographe David Hanna, cela survient avec le plan de lotissement de l'ancien domaine McTavish, réalisé en 1845 pour les avocats Fisher et Smith. Il s'agit de l'adaptation locale du *mews* du plan d'Édimbourg ; les anglophones de Montréal la désigneront généralement par le terme *lane* ou *back lane*. Pour traduire ce nouveau concept urbanistique, les francophones choisiront le mot ruelle, un diminutif de rue utilisé depuis le xiiᵉ siècle pour désigner une voie petite et étroite.

La ruelle est une voie de service desservant l'arrière des lots. Elle permet d'éliminer la porte cochère à l'ancienne et de construire de longues rangées de maisons, auxquelles elle fournit une issue de secours. Dans les beaux quartiers, elle permet une division sociale de l'espace domestique. Côté rue se trouvent la belle façade et l'accueil des visiteurs. Côté ruelle se concentrent la circulation des domestiques, la livraison des marchandises et l'évacuation des déchets.

La ruelle présente de tels avantages qu'elle se généralise rapidement à tous les nouveaux lotissements de la ville, même les plus modestes. Conçue pour les secteurs huppés, elle devient ainsi une caractéristique essentielle des quartiers populaires et un attribut de la sociabilité montréalaise.

**JOHN LOVELL,
SARAH KURCZYN
ET LEURS ENFANTS**

Ce portrait de famille
est réalisé par le studio
Notman en 1865. La
famille habite alors rue
Sainte-Catherine et elle
a plusieurs domes-
tiques à son service.

isolée, généralement entourée d'un jardin. Elle représente un investis-
sement immobilier substantiel, de sorte qu'elle est surtout associée aux
plus riches Montréalais. La majorité de ces villas donnent sur les voies
transversales, mais un certain nombre d'entre elles ornent la rue Sainte-
Catherine. Le puissant armateur et financier Hugh Allan en possède une, à
l'angle de la rue Saint-Alexandre, à la limite du quartier Saint-Laurent. Il y
réside de 1848 à 1863, avant de déménager
dans son célèbre Ravenscrag, plus haut sur
les flancs de la montagne. De l'autre côté de
la rue, de biais avec la maison Allan, Benaiah
Gibb, riche manufacturier de vêtements,
habite avec ses deux nièces une grande
maison jusqu'à son décès, en 1877. Plus à
l'ouest, la villa de l'industriel Hollis Shorey
ne manque pas d'élégance.

LE CŒUR DU QUARTIER SAINT-ANTOINE

Ces quelques exemples illustrent à
quel point le quartier Saint-Antoine
attire l'élite commerciale et industrielle de Montréal. À la fin du XIXᵉ et
au début du XXᵉ siècle, on y trouve
la plus grande concentration de
richesse de tout le Canada. La rue
Sainte-Catherine est au cœur de
l'action et la réussite s'y étale au

St CAT

2107 Morrison Wm., furniture
     Gleeson James, safemaker
     Rowen Mrs. M., wid John
2111 Kiely Richard, boots and shoes
2112 Richardson I. A., of I. A. Ri-
     chardson & Son
     Richardson G. I., of G. I. Ri-
     chardson & Co.
2113 Reilly Chas., boots and shoes
2114 Richardson Isaac A., & Son,
     plumbers
2116 Harris J., sec hand books
     Montreal rubber stamp works,
     J. Harris & Co.
2117 Milloy James, gardener
     Milloy Mrs. Jas., news dealer
2118 Clapperton R., customs officer
2120 Fire station No. 5, Wm. Mann,
     guardian
2123 Bastian W. L., glassware
2126 Hopper, Brown & Co., butchers
2127 Mouette Louis, butcher
2128 Dooly Mrs. S., wid David
2129 Dockrill Mrs. Eliza, wid Wm.
     Dockrill Miss E., fancy goods
2130 Barnett Peter, driver
2131 Pringle James J., fruit dealer
2132 Reid George, coachman
2133 Parent Chs., boots and shoes
2134 Kelly Stephen, water inspector
2135 Lamarche Nap., cabinetmaker
2137 McMillan D. D., cig. & tobacco
2138 McCann James, trader
2141 Rosser Griffith, plumber
2143 McOwat Miss M., fancy goods

St Alexander st intersects

St. James Methodist Church, rev
James Henderson, pastor
2146 Montreal Sculpture & Granite
     works, Robt. Reid, prop.
2158 St Gabriel Church, Presbyte-
     rian, rev Robert Campbell
     D.D., pastor
Hurst

L'IMPRIMEUR ET ÉDITEUR JOHN LOVELL

L'un des plus célèbres résidants de la rue Sainte-Catherine est l'imprimeur et éditeur John Lovell (1810-1893). À partir de 1851, il habite pendant 34 ans une maison située juste en face du square Phillips. Immigrant irlandais de religion anglicane, il arrive au Québec avec ses parents en 1820. Il fait son premier apprentissage dans une imprimerie et restera toute sa vie dans ce secteur d'activité.

Dès 1836, il possède sa propre imprimerie qui, après divers changements de nom, deviendra en 1874 la Lovell Printing and Publishing Company. L'entreprise est établie rue Saint-Nicolas, dans le Vieux-Montréal. Lovell ouvrira aussi des succursales à Toronto, à Québec et à Rouses Point, aux États-Unis. Il édite de nombreux ouvrages de littérature canadienne, tant en anglais qu'en français, des partitions de musique, des manuels scolaires et surtout ses célèbres annuaires.

John Lovell épouse Sarah Kurczyn en 1849 et le couple aura 12 enfants. Femme dynamique, Sarah établit dans sa maison, à partir de 1877, une école pour jeunes filles de 15 à 20 ans où sont reçus des conférenciers prestigieux. Elle fait aussi partie de la chorale de la cathédrale Christ Church, située à deux pas de chez elle.

grand jour. Plus tard, on désignera ce secteur de la ville comme le Square Mile, puis on y ajoutera l'adjectif « Golden ». Il est vrai que ces hommes d'affaires habitent dans un environnement exceptionnel qui n'a rien à voir avec les conditions de vie, souvent pénibles, de la majorité des Montréalais.

À une époque où la religion tient une grande place dans les sociétés occidentales, les églises entretiennent des relations étroites avec les membres des élites. Elles vont donc accompagner la migration de leurs ouailles du Vieux-Montréal vers le quartier Saint-Antoine, en y établissant de nouveaux lieux de culte. La rue Sainte-Catherine accueille plusieurs de ces temples. Les anglicans font construire St. James the Apostle (1864), les presbytériens, l'église Erskine (1866), les congrégationalistes, les églises Emmanuel (1878) et Wesley (1879), les méthodistes, l'église Douglas (1879) et les baptistes, St. Catherine (1879).

L'ANNUAIRE LOVELL

Cette page du *Lovell's Montreal Directory* de 1889-90 énumère les résidants d'une portion de la rue Sainte-Catherine.

À partir de 1842, John Lovell imprime un annuaire de Montréal, d'abord préparé par R. S. Mackay, dont il devient l'éditeur en 1863. Le *Montreal Directory*, publié par la famille Lovell jusqu'en 1977, est un bottin des résidants de Montréal qui fournit, dans l'ordre alphabétique, le nom, la profession et l'adresse de tous les chefs de ménage. Il contient aussi un grand nombre d'annonces des entreprises montréalaises. À compter de l'édition de 1864-1865, on y ajoute une section « *Street Directory* » qui permet de parcourir la ville, rue par rue et maison par maison.

L'annuaire Lovell représente une source extrêmement riche pour qui s'intéresse à l'histoire de Montréal et de ses habitants. Bibliothèque et Archives nationales du Québec l'a rendu disponible en version électronique.

Plusieurs de ces établissements ne resteront qu'une trentaine d'années rue Sainte-Catherine, cédant le pas aux commerces. Près de l'avenue Stanley, un orphelinat protestant est aussi présent de 1849 à 1894.

Il faut cependant accorder une place particulière à deux églises imposantes érigées aux environs du square Phillips. La première est la cathédrale anglicane Christ Church, inaugurée dès 1859 rue Sainte-Catherine, entre la rue University et l'avenue Union. La seconde est l'église méthodiste (plus tard Église unie) St. James, érigée de 1887 à 1889 entre les rues City Councillors et Saint-Alexandre, sur le terrain auparavant occupé par la résidence de Hugh Allan. L'une et l'autre se trouvent du côté nord de la rue et, entre les deux, mais côté sud, le square Phillips donne un cachet tout à fait particulier à cette portion de la rue Sainte-Catherine.

Ce square fait partie du plan de lotissement de l'ancien domaine Frobisher que Thomas Phillips fait dresser peu avant sa mort, survenue en 1842. Il forme un lieu exceptionnel dans l'axe de la rue Sainte-Catherine. Longtemps, ses abords sont sur-

LE SQUARE PHILLIPS ET LA CATHÉDRALE CHRIST CHURCH VERS 1882

Le square offre un espace de verdure et de repos, loin de l'agitation de la rue Sainte-Catherine. La cathédrale Christ Church est à l'arrière-plan.

tout résidentiels, à l'image du reste du quartier. Le seul immeuble qui se distingue est le musée de l'Art Association, à l'angle de la rue et du square, inauguré en 1879. Toutefois, l'arrivée des magasins de Birks et de Morgan, à la fin du siècle, viendra modifier de façon irrémédiable l'environnement du square Phillips.

À l'époque, la pratique du sport tient une place importante dans la vie sociale de la bourgeoisie. Réservée aux amateurs fortunés, elle se fait dans des clubs privés, au *membership* sélectif, installés près de leur clientèle. Des clubs de curling sont ainsi implantés rue Sainte-Catherine, pendant quelques années. Plus imposante est la présence du Crystal Palace, ce grand hall d'exposition érigé en 1860 à l'angle de la rue University, puis déménagé plus au nord en 1878. En 1880, on inaugure aussi une salle de concerts, plus tard consacrée au théâtre, le Queen's Hall, incendié en 1899. Elle préfigure un type d'activité appelé à prendre une grande importance le long de la rue.

Dans la foulée du développement résidentiel du quartier Saint-Antoine, il était inévitable qu'apparaissent des activités commerciales afin de répondre aux besoins essentiels de la population. Tout comme dans l'est de la ville, la rue Sainte-Catherine devient ici le point de chute des épiciers et du commerce de détail en général. Les magasins s'y multiplient après les années 1860, et surtout dans la décennie 1880, alors que

L'ÉGLISE MÉTHODISTE ST. JAMES

Construite entre 1887 et 1889, l'église St. James remplace le temple méthodiste de la rue Saint-Jacques. De style néogothique, elle est l'œuvre de l'architecte montréalais Alexander Francis Dunlop. À partir de 1925, la façade de la rue Sainte-Catherine sera cachée par une rangée d'immeubles commerciaux, qui furent démolis en 2005 (pages 42-43).

LA CATHÉDRALE CHRIST CHURCH

La première église Christ Church est érigée entre 1805 et 1821 rue Notre-Dame, près de la place d'Armes. Elle devient cathédrale en 1850, avec l'érection à Montréal d'un diocèse anglican distinct de celui de Halifax. Le temple est détruit dans un incendie en 1856 et la communauté choisit, pour la reconstruire, un nouvel emplacement loin du centre surpeuplé, dans le nouveau quartier bourgeois de la ville. Il sera érigé du côté nord de la rue Sainte-Catherine, entre la rue University et l'avenue Union, sur un terrain cédé par la succession de Thomas Phillips. De style néogothique, l'église est construite entre 1857 et 1860 selon les plans de l'architecte britannique Frank Wills. Alors qu'en 1860 la cathédrale côtoie les vergers et les rares maisons d'un quartier encore en émergence, elle est, au cours du XXe siècle, au centre d'un des carrefours les plus animés de la ville. D'ailleurs, elle n'échappe pas au développement du centre-ville avec la construction, en 1987, d'une galerie marchande sous l'église, alors soutenue par des pilotis. (GLG)

plusieurs commerçants déménagent leur entreprise du Vieux-Montréal. Au début, ce sont surtout de petits établissements de proximité, avant que s'affirment les grands magasins, à la fin du siècle. La clientèle des environs étant plus riche qu'ailleurs, l'épicerie fine et le commerce de luxe trouvent là un terreau fertile.

À WESTMOUNT

Au-delà de la limite ouest du quartier Saint-Antoine et de la Ville de Montréal, la rue Sainte-Catherine se prolonge dans le Village de Côte Saint-Antoine en 1879 (devenu Westmount en 1895). Tracée d'abord jusqu'à l'avenue Greene, elle est ensuite prolongée vers l'ouest jusqu'à la rue Victoria, en empruntant le cours d'un des chemins de l'ancienne Côte Saint-Antoine. Les maisons y sont encore très peu nombreuses à la fin du XIXe siècle, et surtout concentrées aux abords de l'avenue Greene. Deux équipes de crosse y occupent de vastes terrains : le club Shamrock et celui de la Montreal Amateur Athletic Association. En 1907, la situation n'a guère changé. L'ancien terrain du Shamrock est consacré au base-ball. Les maisons en rangée sont un peu plus nombreuses, surtout entre les avenues Wood et Greene. L'habitat devient ensuite plus dispersé, avec une petite concentration près de la rue Metcalfe.

L'ART GALLERY : AUX ORIGINES DU MUSÉE DES BEAUX-ARTS DE MONTRÉAL

Créée en 1860 par des amateurs et des collectionneurs fortunés, l'Art Association of Montreal est une société vouée à la diffusion des beaux-arts. Son histoire est étroitement associée à celle de l'élite anglo-écossaise du quartier Saint-Antoine. Dans les années qui suivent sa création, elle offre, dans des locaux temporaires, des expositions et des cours de dessin de façon discontinue. En 1877, l'association entre dans une nouvelle ère grâce au legs d'un de ses membres, le marchand Benaiah Gibb. En plus d'une importante collection, il cède à l'Art Association un terrain à l'angle de la rue Sainte-Catherine et du square Phillips, ainsi que 8000 $ pour y construire un musée permanent. L'édifice, inauguré en 1879, est l'un des premiers du genre au Canada. Il comprend une grande salle d'exposition, une salle réservée aux aquarelles et un cabinet de lecture. Au fil des ans, plusieurs œuvres sont offertes à l'Art Gallery par de riches bourgeois anglophones. L'immeuble est agrandi en 1893 avec l'ajout d'une annexe qui double sa superficie. L'espace devient rapidement insuffisant, obligeant le déménagement du musée rue Sherbrooke en 1912. En 1948, l'établissement est rebaptisé Montreal Museum of Fine Arts, mais il faut attendre la Révolution tranquille des années 1960 pour qu'il adopte aussi le nom de Musée des beaux-arts de Montréal. (GLG)

UN CRYSTAL PALACE POUR LE PRINCE DE GALLES

Comme plusieurs autres grandes villes, Montréal fait construire, à l'initiative du Conseil des arts et manufactures, une réplique du Crystal Palace de Londres de 1851. Cette imposante structure est élevée dans le nouveau quartier huppé de la ville en vue de la visite du prince de Galles en 1860. Les plans sont de l'architecte John William Hopkins, aussi connu pour l'édifice de la Royal Insurance érigé sur la pointe à Callière. Le Crystal Palace, doté d'une nef de 56 mètres de long et 26 mètres de large, est situé rue Sainte-Catherine vis-à-vis de la rue Victoria. Contrairement au palais londonien, exclusivement constitué de fer et de verre, celui de Montréal est consolidé avec de la brique pour résister au climat. Voué à la présentation d'expositions, il est utilisé à l'occasion pour de grands banquets. En 1878, le palais est démantelé et déménagé sur le vaste terrain de l'Exposition provinciale, situé à l'angle des avenues du Mont-Royal et du Parc. Un incendie le fait disparaître en 1896. (GLG)

LA POUSSÉE VERS HOCHELAGA ET MAISONNEUVE

Un peu avant la rue Frontenac, la rue Sainte-Catherine pénètre dans le territoire du Village d'Hochelaga (1870). Cette municipalité, élevée au rang de ville en 1883, est aussitôt après annexée à Montréal pour former le quartier Hochelaga. Sa partie la plus à l'est en est toutefois détachée pour former une nouvelle municipalité de banlieue, la Ville de Maisonneuve. Celle-ci sera à son tour annexée à Montréal, mais seulement en 1918, après avoir connu une brillante existence autonome.

Les terres de ces deux territoires appartiennent à de grands propriétaires, majoritairement francophones, qui deviendront de dynamiques promoteurs de l'urbanisation et participeront à la politique municipale locale. Les familles Rolland, Préfontaine et Desjardins y tiennent une place exceptionnelle.

L'industrialisation est au cœur de l'urbanisation de ces deux territoires. Dans Hochelaga, elle s'amorce dès les années 1870 dans le secteur qui jouxte le quartier montréalais de Sainte-Marie. La filature du coton, la transformation du tabac et la fabrication du gaz y prédominent. Ce secteur accueille également les écuries et les ateliers de la compagnie de tramways qui utilise des centaines de chevaux avant de passer à la traction électrique en 1892. En outre, la voie du chemin de fer Québec, Montréal, Ottawa et Occidental traverse Hochelaga du nord au sud. Cette entreprise est acquise dans les années 1880 par le Canadien Pacifique, qui installe à Hochelaga d'importants ateliers d'entretien de son matériel ferroviaire. À leur tour, ceux-ci attirent diverses entreprises complémentaires. En 1904, ils déménagent plus au nord, aux nouveaux ateliers Angus.

L'industrialisation de Maisonneuve démarre plus tardivement, vers la fin du siècle, mais elle atteint une taille considérable, au point d'en faire un des plus grands centres manufacturiers du pays. De nombreuses usines de chaussures s'y installent, mais on y fait aussi le raffinage du sucre, la cuisson de biscuits, la construction de navires, etc.

Dans Hochelaga comme dans Maisonneuve, l'implantation des usines amène une population ouvrière en croissance à s'installer dans les environs. Elle est majoritairement francophone et occupe surtout des emplois peu qualifiés et mal payés. Composée à plus de 90 % de locataires, elle habite les duplex, triplex et quintuplex qui se multiplient dans les rues transversales. La rue Sainte-Catherine en abrite aussi une partie, dans les maisons de trois étages qui la bordent.

UN BANQUET AU CRYSTAL PALACE
Cette vue de l'intérieur du Crystal Palace illustre les préparatifs pour un banquet tenu à l'occasion de la Saint-Jean-Baptiste, en 1877.

L'ÉPICERIE FINE
Les produits sont
abondants et le
personnel est
nombreux dans
l'établissement de
Walter Paul.

WALTER PAUL, ÉPICIER

«Aucun secteur de l'activité commerciale de la ville de Montréal n'est plus important que l'épicerie fine familiale. [...] M. Walter Paul dont l'établissement est situé au 2355 rue Sainte-Catherine est représentatif de ce secteur. Son entreprise en pleine croissance a été fondée il y a 14 ans [...] La marchandise qu'il offre compte parmi la plus vaste et la plus fine de Montréal. Elle comprend des thés, cafés, épices de choix, les meilleures marques de produits en conserve, une grande variété de relish et de fruits, des condiments, des friandises, etc. [...] M. Paul offre tout l'éventail des produits de maisons anglaises réputées comme Crosse & Blackwell [...] Il emploie vingt-quatre commis, assistants, etc. et six voitures.»

Montreal Illustrated, 1894

Dans Hochelaga, la rue parcourt d'abord une zone industrielle et doit traverser les terrains de la compagnie de tramways. La voie ferrée du Canadien Pacifique représente un obstacle important, mais la construction d'un pont, en 1892, permet de l'enjamber. Plus à l'est, la rue se développe par tronçons. Comme le montrent les atlas de 1879 et 1890, certains propriétaires n'ont pas prévu son ouverture dans leurs plans de lotissement, et des bâtiments obstruent même la voie, notamment à la hauteur des rues Moreau et Dézéry. Il faudra quelques années avant que la Ville ne régularise la situation. Au début du xxe siècle, la rue est construite d'un bout à l'autre du quartier, mais un grand nombre de lots y sont inoccupés. Ce vide est comblé rapidement puisque la rue est entièrement bordée d'immeubles en 1914.

Dans Maisonneuve, seule une petite portion est tracée en 1890, mais le plan de 1907 montre que la voie est ouverte sur toute sa longueur. Toutefois, la plupart des lots sont encore vacants. La construction s'intensifie ensuite, mais elle est loin d'être complétée en 1914.

Comme dans le reste de la ville, la rue Sainte-Catherine acquiert ici aussi une vocation commerciale. Au fur et à mesure du peuplement du territoire, les magasins s'y multiplient et s'installent au rez-de-chaussée des maisons, dont les étages supérieurs abritent des logements. Les épiciers sont nombreux et occupent souvent les coins des rues. On y trouve aussi tous les commerces de proximité qui caractérisent les quartiers populaires montréalais : restaurants, magasins de tissus, de nouveautés, de vêtements et de meubles, quincailleries, marchands de bois et de charbon, etc.

DE NOUVEAUX ATOURS

À la fin du xixe siècle, la rue Sainte-Catherine a déjà plus d'un siècle d'histoire et son ouverture est presque complétée. Dans certaines parties de son parcours, elle est devenue l'un des grands axes de circulation de Montréal, permettant de relier l'est et l'ouest de la métropole.

LA VOIE PUBLIQUE

Dans la portion la plus ancienne, entre les rues Saint-Alexandre et Sanguinet, la Ville acquiert, dans les années 1850 et 1860, les terrains supplémentaires requis pour élargir la rue et lui donner les mêmes dimensions, 16,76 mètres (55 pieds), sur toute sa longueur.

Pour une rue de cette importance, le défi d'installer un revêtement adéquat en surface de la voie se pose de façon constante. Au début, les déplacements se font surtout à pied, mais l'extension du territoire urbanisé et la multiplication des voitures et des chevaux exigent des revêtements solides. Au cours du XIXe siècle, les techniques de construction des rues évoluent de façon importante dans les villes.

Chacune y va de ses essais et de ses erreurs, en tentant de profiter des expériences des autres. L'histoire de la voirie à Montréal reste cependant à faire et il n'est pas facile d'établir la chronologie précise du pavage d'artères importantes comme la rue Sainte-Catherine. En effet, les travaux de voirie sont souvent réalisés par segments et s'étalent sur plusieurs années.

Comme les autres rues des faubourgs, la nôtre est longtemps un simple chemin de terre recouvert de gravier. Vers 1840 et peut-être avant, elle a un revêtement de macadam, un procédé d'application de couches superposées de pierre concassée de plus en plus fine. Dans les années 1880, la Ville fait l'essai de la pose d'un pavage en blocs de bois sur des segments à l'est de la rue Amherst, mais ce matériau résiste mal à l'hiver montréalais et il est dangereux pour les chevaux qui ont tendance à glisser. Ailleurs, on installe aussi des blocs de granit. La solution définitive ne viendra qu'au début du XXe siècle, avec l'asphaltage de la rue.

Pendant longtemps, la rue est bordée de trottoirs faits de planches de bois qu'il faut réparer fréquemment. Dans les années 1870, on remplace le bois par des dalles de pierre dans la partie la plus huppée, entre les rues Guy et De Bleury. Plus à l'est, la conversion se fait dans la décennie suivante, mais en bitume.

VERS LA BANLIEUE

Dans Maisonneuve, la rue Sainte-Catherine attire aussi les commerçants, comme ce marchand de meubles.

LA RUE SAINTE-CATHERINE DANS HOCHELAGA

Prise en 1930 à la hauteur de la rue Préfontaine, cette vue de la rue Sainte-Catherine montre des deux côtés, à l'avant-plan, des maisons du XIXe siècle (page de droite).

Le XIXᵉ siècle est aussi caractérisé par l'apparition de l'éclairage public des rues dans les villes. Au début, des lampes à huile sont installées par des propriétaires à certains endroits, mais il faut attendre les années 1840 pour que soit implanté à Montréal un système public d'éclairage des rues au moyen de réverbères alimentés au gaz. Comme cela exige l'installation de conduites souterraines, on peut penser que l'éclairage de la rue Sainte-Catherine a été réalisé par étapes. En 1886, la Ville passe à l'éclairage électrique et la conversion est faite dès cette année-là rue Sainte-Catherine.

L'ARRIVÉE DU TRAMWAY

Une autre nouveauté du XIXᵉ siècle est l'invention du transport en commun. Dans la ville préindustrielle, le principal moyen de locomotion est la marche à pied. Seule une minorité riche peut se payer les services d'une voiture avec cocher. Après 1850, l'expansion territoriale de la ville et l'augmentation de la population exigent de nouvelles solutions. Le train à vapeur arrive pour la première fois à Montréal en 1847, lors de l'inauguration de la ligne vers Lachine. Avec la fumée et les étincelles que crachent les locomotives, le train n'est pas adapté au transport urbain et sera limité au déplacement des passagers vers l'extérieur de la ville. Montréal adopte donc la même solution que de nombreuses autres agglomérations en Amérique du Nord : le tramway hippomobile. Il s'agit d'une voiture tirée par des chevaux et roulant sur des rails installés au milieu des rues. L'hiver, quand la neige recouvre la voie, on équipe les voitures de patins. Au moment du dégel, on utilise même provisoirement des omnibus.

Dès 1861, la Compagnie de chemin de fer à passagers de la Cité de Montréal (Montreal City Passenger Railway) est fondée pour installer et exploiter un tel service. L'entreprise étend graduellement son réseau et, dès 1864, une première ligne parcourt une partie de la rue Sainte-Catherine, entre les rues De Bleury et de la Montagne ; en 1872, elle atteint l'avenue Greene. La compagnie installe d'ailleurs ses écuries dans Hochelaga, sur la trajectoire de la rue. En 1892, à l'instigation de son nouveau président, Louis-Joseph Forget, elle entreprend l'électrification de son réseau, complété en seulement deux ans. La rue Sainte-Catherine est alors desservie, entre l'avenue Greene et la rue du Havre, par une nouvelle ligne de tramways électriques, ce qui la rend encore plus facilement accessible à l'ensemble des Montréalais.

L'électrification n'est qu'un exemple des transformations profondes de la rue Sainte-Catherine vers la fin du XIXe siècle. Les territoires qu'elle traverse connaissent une forte expansion. Des populations nouvelles s'agglutinent tout autour. Des francophones arrivent par milliers des campagnes environnantes pour s'installer en ville et y commencer une nouvelle vie. Parmi les anglophones se mêlent des immigrants récents et des jeunes quittant les zones rurales du Québec et des autres provinces. Entre les deux groupes linguistiques s'en insère un nouveau, de langue yiddish. En effet, la rue Saint-Laurent forme l'axe d'implantation des nouveaux immigrants juifs originaires d'Europe de l'Est.

Sainte-Catherine n'est déjà plus une simple rue de quartier. Elle se prépare pour une nouvelle vocation métropolitaine.

UN NOUVEAU MOYEN DE TRANSPORT
Un tramway hippomobile à l'angle du boulevard Saint-Laurent.

CHAPITRE 2

LE PARADIS
DU MAGASINAGE

À la fin du XIXᵉ siècle, la rue Sainte-Catherine amorce une nouvelle ère de son histoire, une période de gloire qui se poursuivra jusque dans les années 1960. Véritable aimant, la rue attire des activités très nombreuses et des foules considérables. C'est toutefois l'essor du magasinage qui assure sa renommée. Il transforme son décor et en fait une destination incontournable, aussi bien pour les Montréalais que pour les visiteurs.

LA « CATHÉDRALE DU COMMERCE »

La vocation commerciale de la rue s'affirme avec l'arrivée du grand magasin, à partir des années 1890. Montréal emboîte le pas à d'autres grandes villes d'Europe et des États-Unis. À Paris, la transformation du Bon Marché, en 1852, marque le début de l'ère des grands magasins, auxquels s'ajoutent bientôt ceux du Louvre, du Printemps et de la Samaritaine, parmi d'autres. Le grand magasin — que le romancier français Émile Zola, fasciné, décrit comme une « cathédrale du commerce » — amorce une révolution dans le commerce de détail. Le phénomène se manifeste rapidement dans plusieurs autres pays. Les établissements de Bainbridge et de Lewis en Angleterre, de Stewart et de Macy à New

MAGASINER EN 1961

Le grand magasin Eaton domine l'activité commerciale de la rue Sainte-Catherine.

York, et de Marshall Field à Chicago sont des précurseurs en ce domaine. La presse locale compare souvent les magasins montréalais avec ces exemples étrangers.

DU MAGASIN DE NOUVEAUTÉS...

Pour en comprendre toute la signification, il faut s'arrêter un moment à son prédécesseur, le magasin de nouveautés, mieux connu à Montréal sous son nom anglais de *dry goods store*. Au départ, ce type de commerce vend du tissu. C'est donc dire qu'il s'adresse d'abord à une clientèle féminine et qu'il est étroitement associé à la mode. Or, ce produit vient dans une variété de fibres — coton, lin, laine, soie —, de motifs — uni, rayé, floral, etc. — de couleurs et de qualités. On peut en faire des vêtements, des nappes, de la literie, des tentures ou encore recouvrir des meubles. Selon ses moyens et selon la clientèle visée, le marchand de nouveautés en tiendra une gamme plus ou moins étendue. S'il veut faire croître ses affaires, il doit s'assurer d'offrir à un prix accessible un éventail intéressant de produits qui suivent la mode du jour (d'où le mot « nouveautés »). Rapidement, il est amené à vendre des biens complémentaires, comme les vêtements prêts à porter, qui se répandent dans les dernières décennies du siècle, ou encore les gants, les chapeaux et divers produits pour la maison. Ainsi, les marchands les plus importants, en élargissant leur offre, créent à l'intérieur du magasin des comptoirs spécialisés — des rayons — chacun avec ses vendeurs. Ils ne se contentent plus du rez-de-chaussée et augmentent le nombre d'étages consacrés à la vente. Certains se trouvent trop à l'étroit et déménagent pour s'agrandir. Quelques-uns d'entre eux, à la recherche de croissance, choisissent de passer à une autre échelle qui sera celle du grand magasin.

À Montréal, le nombre de magasins de nouveautés se multiplie dans la seconde moitié du XIXe siècle, en phase avec la croissance de la population de la ville. Les plus importants sont installés dans le Vieux-Montréal, le long des rues Notre-Dame ou Saint-Jacques. Un certain nombre s'implantent dans les nouveaux quartiers. L'un des plus anciens marchands de nouveautés est l'immigrant écossais Henry Morgan, arrivé à Montréal en 1844. Dès l'année suivante, il ouvre un premier magasin, rue Notre-

Dame, qu'il déménage et agrandit ensuite avant de s'installer rue Saint-Jacques, à l'angle du square Victoria, où il restera un quart de siècle. Son commerce de *dry goods* est alors un des plus importants à Montréal et, vers 1878, il implante le système des rayons (*departmental system*). En 1891, il passe à l'étape du grand magasin et choisit la rue Sainte-Catherine.

Du côté francophone, l'entreprise fondée en 1868 par Nazaire Dupuis, reprise ensuite par ses frères, se démarque rapidement, notamment en important des exclusivités françaises. Elle est installée rue Sainte-Catherine depuis ses débuts. En 1882, Dupuis Frères s'établit à l'angle de la rue Saint-André, un site que le futur grand magasin occupera, en s'étendant progressivement, tout au long de son existence.

... AU GRAND MAGASIN

Ces deux exemples montrent que les marchands de nouveautés les plus en vue connaissent plusieurs années, et parfois plusieurs décennies de croissance organique et de déménagements avant leur passage à une autre catégorie. Mais qu'est-ce qui distingue un grand magasin (en anglais *department store*) de son prédécesseur ? Soulignons d'abord qu'il n'y a pas là une rupture totale, puisqu'on renforce des tendances qui avaient commencé à se manifester antérieurement. Le changement d'échelle est tout de même frappant. Le nouveau magasin est nettement plus vaste que celui qu'il remplace. Avec ses grandes vitrines, ses plafonds hauts, ses escaliers majestueux, il a des allures de temple du commerce, où tout est fait pour

CHEZ OGILVY
Un personnel empressé attend la clientèle au rayon des garçons, au début du XXᵉ siècle.

impressionner la clientèle. Ses dimensions permettent de faire, à un niveau inconnu jusque-là, une mise en scène des marchandises, d'ailleurs plus abondantes qu'avant.

Ce qui caractérise le plus le grand magasin est la systématisation de l'organisation en rayons (les *departments*) distincts les uns des autres, chacun étant spécialisé dans un type de produits et ayant à sa tête un gérant autonome, assisté d'une équipe de vendeurs. Au Québec, on utilisera longtemps l'expression « magasin à rayons » pour traduire cette réalité. Outre l'existence des rayons, c'est leur multiplication qui fait la marque du nouvel établissement commercial, car l'éventail des marchandises offertes devient nettement plus étendu que dans le magasin de nouveautés d'autrefois.

Le grand magasin se distingue aussi de son prédécesseur en offrant une expérience de magasinage totalement nouvelle. On peut y déambuler librement et admirer les étalages sans obligation d'acheter. Des aires de repos sont à la disposition de la clientèle et on peut prendre le thé ou un repas dans le restaurant de l'établissement. Celui-ci n'est plus seulement un lieu commercial ; c'est une véritable destination, où on peut venir voir et se faire voir.

La taille du magasin entraîne des économies d'échelle. Le marchand peut acheter en plus grande quantité, ce qui fait baisser ses coûts, lui permet de réduire les prix de vente et d'attirer ainsi une clientèle plus nombreuse. Grâce à son pouvoir d'achat, il peut faire affaire directement avec les producteurs, sans passer par les grossistes, et obtenir des produits exclusifs. Certains grands marchands ont même leurs propres ateliers, dont la production répond à une partie de leurs besoins.

De nouvelles pratiques commerciales s'installent graduellement, comme le prix fixe inscrit sur les produits et le paiement comptant. On attire la clientèle en annonçant abondamment dans les journaux. Quelques grands magasins montréalais publient des catalogues, distribués à l'extérieur de la ville, qui alimentent des ventes postales. Certains marchands visent une clientèle plus huppée, d'autres les milieux populaires, mais tous comptent sur la classe moyenne en expansion.

DES CONDITIONS NOUVELLES

Pourquoi au Canada, et à Montréal en particulier, les grands magasins apparaissent-ils seulement à la fin du siècle, alors qu'ils sont présents depuis quelques décennies en France, en Grande-Bretagne et aux États-Unis ? Pour être rentable, un grand magasin doit pouvoir compter sur une vaste clientèle. Au milieu du XIXᵉ siècle, le Canada est encore très peu peuplé et la majorité de sa population habite les campagnes. Sa plus grande ville, Montréal, n'a guère plus de 50 000 habitants, mais en 1891, l'année où Morgan ouvre son nouveau magasin, elle en a cinq fois plus.

Entre ces deux dates, le Canada voit se développer la fabrication industrielle qui permet une production de masse à meilleur marché. À partir des années 1850, la construction de réseaux de chemin de fer favorise l'approvisionnement plus rapide en marchandises. À Montréal, l'avènement du tramway électrique, en 1892, permet à la clientèle, devenue plus nombreuse, de se déplacer sur de grandes distances. Les années 1880 voient éclore une presse populaire à bas prix (*La Presse*, *La Patrie*, le *Star*, parmi d'autres) qui fournit aux annonceurs le moyen de rejoindre un vaste public. Toutes ces conditions nouvelles concourent à créer un milieu favorable à l'essor du grand magasin.

MORGAN FÊTE SES 100 ANS
Le magasin met en vente un vase souvenir en 1945.

OUVERTURE DES MAGASINS MORGAN

« Un étranger qui aurait passé aujourd'hui par le carré Philips n'aurait pas manqué de demander quel était l'attrait qui attirait dans cette partie de la ville une foule si considérable d'élégantes promeneuses ! On lui eût répondu que les grands magasins de nouveautés de Morgan, situés sur un des côtés du carré venaient d'ouvrir pour la première fois au public.

Depuis longtemps, les messieurs Morgan se trouvaient trop à l'étroit dans leur local, pourtant très vaste, situé au coin de la rue St-Jacques et du carré Victoria. Mais où transporter leurs pénates ? La rue Ste Catherine semblait, il est vrai, être destinée à devenir da__ __n avenir prochain la grande avenue du commerce de détail de la partie __ __ la ville. Néanmoins, jusqu'à présent, on n'avait pas vu une seule gran__ ____ __ du bas de la ville abandonner le lieu de ses succès mercantiles pour __ __ __ette nouvelle scène d'affaires.

Les messieurs Morgan ont é__ __ __emiers à avoir cette hardiesse. Nul doute qu'avant peu, ils ne trouvent __ __eux imitateurs et qu'à la fin du siècle, les deux grandes rues de comm__ ____tail ne soient les rues Ste Catherine et St Laurent, qui, se coupant à __ __ __t allant, à elles deux, aux quatre extrémités de Montréal, sont d'un a____ __ur tous les quartiers de la ville.

La structure que les m__ __ __gan viennent de faire élever sur le carré Phillips ne coûte pas moin__ __ __0. Elle a 160 pieds de façade sur le carré et 135 sur les deux rues latérale__ __ hauteur est de 80 pieds. On a calculé que la

superficie de ses vitrages est de 15,000 pieds et qu'il y a dans l'établissement une longueur totale de sept milles de tuyaux de calorifère ou de gaz. Les parois des salles sont revêtues d'une boiserie de chêne et de bois blanc, d'un très bel effet.

Au 2ᵉ et au 3ᵉ étage, il n'y a pas moins de soixante lampes électriques. Le restaurant des employés est à l'étage supérieur ainsi que les cabinets de toilette, qui sont pavés de marbre blanc d'un effet superbe. Le magasin des tapis est au 3ᵉ étage; au premier on trouve les bureaux, les magasins d'articles de porcelaine et de verrerie, les salons des articles de toilette des dames et des enfants un (sic) parloir pour les dames, meublé avec magnificience.

Au rez-de-chaussée est le bureau du caissier, ainsi que les magasins de la mercerie, de la papeterie, de la ganterie, de la lingerie pour hommes, de la literie, des lainages unis, des cotonades et de la draperie. Il va sans dire qu'on trouve partout des téléphones, des ascenseurs et d'autres facilités dans ce génie moderne.

Tel qu'il est, cet établissement est appelé à tenir dignement sa place à Montréal, comme celui du Louvre tient la sienne à Paris. »

La Patrie, 21 avril 1891

VERS LA RUE SAINTE-CATHERINE

Deux des futurs grands magasins — ceux de Dupuis et de Scroggie — sont issus de commerces de nouveautés implantés rue Sainte-Catherine depuis leur création. En règle générale, toutefois, le commerce de détail montréalais de la fin du XIXe siècle se déplace du *downtown* vers le *uptown*, du Vieux-Montréal, où il est établi depuis longtemps, vers les quartiers Saint-Antoine et, dans une moindre mesure, Saint-Jacques. En quelques années à peine, la rue Sainte-Catherine devient l'artère commerciale par excellence.

MORGAN DONNE LE TON

Un moment clé de cette migration vers le nord est la décision de Henry Morgan de déménager son *Colonial House* du square Victoria au square Phillips. Il fait bâtir un nouvel immeuble, trois fois et demie plus grand que le précédent, spécifiquement conçu pour être un grand magasin. Son inauguration, en avril 1891, attire, selon *La Patrie*, « une foule considérable d'élégantes promeneuses ». Les journaux montréalais en font des descriptions dithyrambiques, soulignant la beauté et le luxe des lieux, la nouveauté des éléments de modernisme — tels l'éclairage à l'électricité et les ascenseurs — et la quantité impressionnante de marchandises étalées à la vue de tous sur chacun des étages. Le magasin s'adresse surtout à la clientèle anglophone la mieux nantie, dont il n'a fait que suivre les pérégrinations dans l'espace montréalais. Les observateurs de l'époque voient dans ce déménagement un geste osé, mais ils en souligneront bientôt le caractère visionnaire.

Dès 1894, Morgan est imité par John Murphy, un marchand de nouveautés établi dans le Vieux-Montréal depuis 25 ans. Celui-ci fait ériger un grand magasin de cinq étages à l'angle de la rue Metcalfe. Deux ans plus tard, c'est au tour de James A. Ogilvy. Après 30 ans rue Saint-Antoine, il s'installe rue Sainte-Catherine, près de la rue de la Montagne, dans un immeuble de trois étages conçu par son fils, l'architecte David Ogilvy.

À ces trois grands du commerce montréalais, il faut ajouter W. H. Scroggie, un ancien commis qui succède, vers 1883, au marchand de nouveautés G.-A. Brouillet & Co. (auparavant Brouillet & Poirier) dont l'immeuble est situé rue Sainte-Catherine, à l'angle de la rue University. Brouillet & Poirier s'annonçait déjà, en 1878, comme « The Windsor One Price Cash Store », soulignant deux caractéristiques du commerce moderne : le prix fixe et le paiement comptant. L'établissement de Scroggie est agrandi en 1892, lui permettant de devenir un grand magasin.

Un autre magasin de nouveautés, fondé par Henry et N. E. Hamilton, quitte le Vieux-Montréal pour la rue Sainte-Catherine en 1896. Dix ans plus tard, l'entreprise loue un immeuble plus vaste, angle Drummond, dont elle occupe graduellement les cinq étages. Son histoire est peu connue, mais ce magasin a moins d'envergure que les autres. Son offre, moins diversifiée, semble rester dans la gamme des marchandises traditionnelles des *dry goods stores*. Hamilton fermera ses portes en 1927.

Tous ces grands magasins se concentrent dans l'ouest de la ville, entre le square Phillips et la rue de la Montagne. Ils appartiennent à des anglophones et desservent principalement une clientèle anglophone. Dans l'est, Dupuis vient au premier rang des magasins de nouveautés tenus par des francophones. En 1882, son installation dans son propre immeuble, à l'angle de la rue Saint-André, marque le début de

LE MAGASIN MURPHY
La rue Sainte-Catherine près de la rue Metcalfe, à la fin du XIXe siècle. L'immeuble Murphy domine le paysage.

sa conversion en grand magasin, renforcée par les agrandissements réalisés à la fin du siècle. Il devient incontestablement le point de mire du commerce de détail dans cette partie de la ville. Un autre magasin de nouveautés, celui de Letendre et fils, établi entre les rues Amherst et Wolfe, est aussi en croissance. Au début du xxe siècle, son propriétaire cherchera même à le transformer en grand magasin — adoptant le nom « Au Bon Marché » et déménageant plus à l'est pour s'agrandir — mais sans obtenir un succès comparable à celui des autres.

IL FAUT DÉJÀ AGRANDIR

Ainsi, en 1900, la rue Sainte-Catherine compte au moins cinq grands magasins bien établis. Ils ont tous été mis sur pied par des commerçants aguerris qui sont aussi des *self-made men* ; pour au moins trois d'entre eux, l'entreprise sera poursuivie par des membres de leur famille après leur décès. Une fois passée la phase d'installation s'amorce une période d'expansion et de transformation. Il faut dire que la quinzaine d'années précédant la Première Guerre mondiale amène une croissance remarquable au Canada. À Montréal même, la population atteint un demi-million d'habitants. L'emploi est abondant et les revenus en hausse font encore plus tinter les tiroirs-caisses des commerçants.

Ceux-ci cherchent à élargir l'éventail des produits offerts à leur clientèle et multiplient les rayons. Ils procèdent aussi à des agrandissements importants. Morgan ajoute une annexe de cinq étages en 1900 et une autre en 1905, le magasin Murphy double sa superficie en 1909, celui occupé jusque-là par Scroggie, agrandi en 1904, l'est de nouveau en 1910. De son côté, Ogilvy fait carrément ériger, en 1912, un nouveau magasin situé de l'autre côté de la rue de la Montagne, tandis que Scroggie fait de même plus à l'est en 1913.

L'ARRIVÉE DES TORONTOIS

Le début du xxᵉ siècle est aussi marqué par un nouveau phénomène : l'arrivée des Torontois. Jusque-là, tous les propriétaires étaient des Montréalais. Dès 1905, le grand magasin de Toronto Robert Simpson achète celui de John Murphy qui se retire des affaires. Le nouveau propriétaire continue tout de même, jusqu'en 1929, à faire fonctionner sa succursale montréalaise sous le nom de Murphy. Selon l'historienne Elizabeth Sifton, il modifie substantiellement l'orientation du magasin en renforçant la spécialisation autour de la mode féminine. Simpson envoie à Montréal un homme de confiance, W. H. Goodwin, qui fera de l'entreprise un succès.

L'autre cas est plus complexe. Jusqu'au début du siècle, il restait un grand magasin dans le Vieux-Montréal, celui de Samuel Carsley. En 1906, il décide d'ouvrir une succursale, rue Sainte-Catherine, et acquiert l'immeuble du magasin dont Scroggie était locataire. Ce dernier ne quitte qu'en 1909. Carsley le remplace aussitôt, mais trois mois plus tard, l'entreprise est vendue à la compagnie torontoise A. E. Rea. L'enseigne de cette dernière ne reste pas accrochée très longtemps puisque, dès 1911, le magasin est repris par W. H. Goodwin, jusque-là gérant de Murphy. Dès lors, et pendant près d'une quinzaine d'années, le grand magasin Goodwin poursuivra la tradition commerciale à l'angle de la rue University.

Quant à Scroggie, expulsé du même emplacement par Carsley, il connaîtra une fin d'existence difficile. Relocalisé près de la rue Peel, il doit quitter cet endroit dès 1913 pour faire place au nouvel hôtel Mont-Royal.

LA BIJOUTERIE BIRKS

Le nouveau magasin en grès rouge est érigé en 1894 à l'angle du square Phillips. Les plans sont de l'architecte Edward Maxwell.

LA BIJOUTERIE L'HEUREUX

Le bijoutier Joseph L'Heureux ouvre ce magasin, près de la rue Beaudry, en 1896. Il déménage quelques portes plus loin en 1918. Après sa mort, deux ans plus tard, sa veuve exploite la boutique jusque vers 1933.

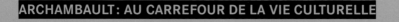

ARCHAMBAULT : AU CARREFOUR DE LA VIE CULTURELLE

Edmond Archambault ouvre un premier comptoir de musique en feuilles en 1896, mais il n'a pignon sur rue de façon distincte que trois ans plus tard. Il s'installe alors à l'angle de la rue Saint-Denis, où il restera pendant trois décennies. Il ajoute à son offre des pianos et en 1904, il agrandit son magasin dans le but d'ajouter des studios et une salle de concerts. En 1930, l'entreprise en expansion acquiert un terrain sur la rue Sainte-Catherine, à l'angle de la rue Berri, pour y faire ériger un immeuble de six étages. La nouvelle adresse d'Archambault, réalisée à partir des plans de Raoul Gariépy, représente bien le style architectural en vogue à l'époque : le style Art déco. Archambault n'y vend pas que de la musique et des instruments ; il fabrique aussi des pianos, édite des œuvres de compositeurs canadiens et enregistre des disques. Le magasin diversifie ses activités en donnant également dans le commerce de livres. À partir des années 1980, plusieurs nouvelles succursales s'ajoutent à celle de la rue Sainte-Catherine. L'entreprise, jusqu'alors entre les mains de la famille Archambault, est intégrée en 1995 au groupe Quebecor. Depuis maintenant plus de cent ans, le magasin Archambault de la rue Sainte-Catherine est au carrefour de la vie culturelle francophone de Montréal. (GLG)

LE NOUVEL IMMEUBLE
À partir de 1930, Archambault s'installe à l'angle de la rue Berri.

Il aménage alors un nouveau magasin, très grand et très coûteux, dans l'édifice Belgo, entre les rues Saint-Alexandre et De Bleury. Cela contribue sans doute à la disparition de l'entreprise, en 1915. Les activités sont reprises jusqu'en 1922 par Almy, dont le propriétaire est américain.

UN IMMENSE BAZAR

Les grands magasins comptent parmi les immeubles les plus specta-culaires de la rue Sainte-Catherine, dont l'activité commerciale est cependant beaucoup plus vaste et complexe. De nombreux autres com-merçants participent eux aussi à la grande migration vers le nord et ins-tallent leurs pénates le long de cette rue. Les magasins de toutes sortes y fleurissent dès la fin du XIXe siècle. Certains sont de taille imposante, tandis que la plupart appartiennent au monde du petit commerce.

DES BIJOUX AUX MEUBLES

Quelques grandes entreprises spécialisées occupent parfois des immeu-bles aux dimensions considérables. La grande bijouterie Birks est la plus notoire. Fils d'immigrants anglais, le Montréalais Henry Birks ouvre son premier magasin, rue Saint-Jacques, en 1879, et doit l'agrandir quelques années plus tard. En 1893, il associe ses trois fils à l'entreprise, donnant ainsi naissance à l'une des grandes dynasties commerciales de Montréal, qui se maintiendra pendant un siècle. En 1894, Birks déménage sur un emplacement de choix de la rue Sainte-Catherine, à l'angle du square Phillips, de biais avec le *Colonial House* de Morgan. Il y fait construire par l'architecte Edward Maxwell un immeuble de cinq étages, dont son magasin en occupe un et demi. Il acquiert peu après une entreprise d'orfèvrerie et se lance dans la production d'objets en or et en argent. Le nom Birks est alors syno-nyme de luxe et de cadeau et, dès le début du XXe siècle, l'entreprise ouvre des succursales dans d'autres villes canadiennes.

Le magasin Birks, agrandi dès 1907, est le plus grand du genre à Montréal, mais il n'est pas le seul. Le commerce de luxe attire aussi rue Sainte-Catherine un certain nombre d'or-fèvres importants, tels Murray & O'Shea et Mappin & Webb, et de nombreuses petites bijouteries, telles celles de Joseph L'Heureux et d'Onésime St-Jean, toutes deux près de la rue Beaudry.

LE MAGASIN EN 1926
Cette peinture, intitulée *Rue Sainte-Catherine,* d'Adrien Hébert, illustre l'animation qui entoure le magasin Archambault à l'angle de la rue Saint-Denis (pages 68-69).

UN MARCHAND DE MEUBLES DANS MAISONNEUVE
Monsieur Dupont attire l'attention, en 1950, avec son annonce originale.

4020 est Ste-Catherine, AM. 21
Angle Jeanne d'Arc - près Blvd. Pie IX

PIANOS
PIANOS
EDITION
SCHOLA CANTORUM MONTREAL
ED. ARCHAMBAULT
PIANOS
3A
1220
CIGARETTES
GUINEA
GOLD

D'autres magasins répondent à la soif de musique des Montréalais. À l'époque, beaucoup de familles tiennent à avoir un piano à la maison. Des marchands s'établissent rue Sainte-Catherine pour leur offrir une gamme d'instruments, auxquels s'ajouteront bientôt les phonographes. L'un des plus anciens, Charles William Lindsay, y ouvre un magasin dès le début des années 1880, entre l'avenue Union et la rue University. En 1902, son entreprise ayant gagné en importance, il fait ériger un immeuble de sept étages entre les rues Peel et Drummond. Il a aussi une succursale à l'angle de la rue Saint-Hubert.

Dans la partie est de la rue, J. A. Hurteau est longtemps actif dans le commerce des pianos, mais il faut surtout souligner la montée d'Edmond Archambault, qui vend de la musique en feuilles à partir de 1896, et y ajoute des pianos en 1900. Son magasin est agrandi à quelques reprises avant de s'installer, en 1930, dans un vaste immeuble à l'angle de la rue Berri.

L'autre grand représentant de ce secteur d'activité est Willis & Co., implanté depuis longtemps rue Notre-Dame. Vers 1901, l'entreprise déménage rue Sainte-Catherine, près de la rue de la Montagne. En 1910, elle fait ériger, angle Drummond, un nouvel immeuble étroit et tout en hauteur conçu par les architectes Ross et MacFarlane, qui sera élargi en 1926.

Bien que les grands magasins aient des rayons de meubles, des détaillants spécialisés dans ce type de produits installent leurs pénates rue Sainte-Catherine. Une dizaine d'entre eux sont énumérés dans l'annuaire d'affaires de Lovell, en 1910. Deux ressortent du lot. Dans l'ouest, Wilder, qui avait autrefois des succursales dans l'ancien et le nouveau centre des affaires, a regroupé ses activités dans un seul vaste magasin, situé entre les rues City Councillors et Aylmer, tout près de Morgan. Dans l'est,

N.-G. Valiquette établit son magasin de meubles vers 1894, à proximité de Dupuis, et l'agrandit par la suite.

Tous ces développements indiquent que de plus en plus de Montréalais se rendent rue Sainte-Catherine pour l'achat de biens coûteux, tels les pianos, les meubles ou l'orfèvrerie. Ils peuvent même y trouver de la quincaillerie, comme en témoigne l'installation d'Omer DeSerres en face de Dupuis en 1910. La demande est telle que le quincaillier doit déménager, trois ans plus tard, à l'angle de la rue Saint-Denis, dans un plus grand immeuble qu'il occupera pendant plus d'un demi-siècle.

Devenue la grande artère du commerce montréalais, la rue Sainte-Catherine se présente comme un vaste bazar où on peut trouver de tout. Cette diversité ne doit cependant pas faire oublier que la rue est surtout synonyme de mode.

À L'ENSEIGNE DE LA MODE

Avec une clientèle d'abord et avant tout féminine, la raison d'être des grands magasins est toujours la mode et ce qui l'entoure. Elle le reste malgré la multiplication des rayons et des spécialités. La croissance de ces établissements s'accompagne d'ailleurs de la disparition du commerce traditionnel des nouveautés, de ces *dry goods stores*, encore si nombreux à la fin du XIXᵉ siècle. Par contre, on voit se multiplier les boutiques de vêtements spécialisés.

À la source de ces transformations se trouve la généralisation du prêt-à-porter. Aux longues heures de couture à la maison, les femmes préfèrent désormais l'achat de vêtements produits en usine. Montréal est d'ailleurs au cœur de cette révolution. Ses nombreux ateliers de confection emploient un effectif croissant de tailleurs et de couturières et produisent des quantités impressionnantes de robes, de chemises, de costumes, de manteaux et de vêtements pour enfants.

Étudiant deux segments de la rue Sainte-Catherine, l'historien Daniel Charbonneau observe qu'en 1913, le commerce des vêtements occupe plus de la moitié des magasins dans l'est et plus du tiers dans l'ouest. La composition de ce secteur varie d'une année à l'autre.

Les boutiques de vêtements pour hommes sont particulièrement nombreuses. Les grands magasins ont longtemps négligé cette clientèle qu'ils cherchent de plus en plus à attirer. La rue Sainte-Catherine compte plusieurs marchands-tailleurs, comme Wills & Wills ou J. Alphonse Lachance, et des magasins de *gents' furnishings*, comme celui de John Reid, qui vendent des vêtements et des chapeaux. D'autres commerçants s'annoncent comme chapeliers et fourreurs, mais leurs produits visent probablement les deux sexes, tout comme les gantiers. Quelques commerçants, tels Tooke et Male Attire, ont un magasin dans l'ouest et un autre dans l'est.

Les boutiques de vêtements pour femmes paraissent moins nombreuses, probablement parce que cette clientèle est particulièrement choyée par les grands magasins. L'annuaire Lovell relève tout de même un certain nombre de *ladies' tailors*. Par ailleurs, des entreprises comme « Le Royaume des dames » et « Aux nouveautés européennes » leur sont manifestement destinées.

La rue Sainte-Catherine abrite en outre un grand nombre de magasins de chaussures, particulièrement représentatifs du petit commerce de détail. Ce secteur a lui aussi des liens étroits avec une autre spécialité de l'industrie montréalaise. En effet, la métropole domine la fabrication de chaussures au Canada. Les usines sont concentrées dans le quartier Sainte-Marie et, en banlieue, dans la Ville de Maisonneuve.

D'EST EN OUEST, DES CLIENTÈLES VARIÉES

En quelques décennies à peine, la rue Sainte-Catherine s'est complètement métamorphosée. Autrefois simple voie résidentielle, parfois cossue, elle est désormais bordée de magasins de toutes sortes. Au début du XXe siècle, elle est devenue une longue artère commerciale fréquentée par une grande partie des Montréalais et s'étendant sur plusieurs kilomètres. Cette transformation s'était d'abord amorcée dans l'est de la ville pour ensuite se manifester avec force dans l'ouest. À la veille de la Première Guerre mondiale, tout observateur de la scène montréalaise peut percevoir des différences marquées entre ces deux parties de la rue et de la ville.

La partie ouest est la plus opulente. Là se trouvent les magasins les plus réputés et les valeurs foncières les plus élevées. Entre les rues De Bleury et de la Montagne, cinq grands magasins ont pignon sur rue : Scroggie, Morgan, Goodwin, Murphy et Ogilvy. La clientèle des environs est prospère et anglophone. La richesse s'étale rue Sainte-Catherine Ouest et on n'y entend guère parler français.

La partie est n'a pas le même prestige, ce qui se reflète dans les valeurs foncières moindres. On y trouve surtout du petit commerce et un seul grand magasin digne de ce nom, Dupuis, y émerge. Ici, la rue dessert une population essentiellement francophone, souvent issue d'un milieu modeste, malgré la présence d'une clientèle bourgeoise, plus aisée mais minoritaire.

Au-delà de ces deux zones centrales, la rue conserve son caractère commercial, mais son rôle plus local, centré sur les besoins du quartier environnant. C'est le royaume du petit commerce, notamment avec de nombreuses épiceries, mais aussi des magasins de vêtements et de chaussures, des bijouteries et des quincailleries. On observe cela aussi bien dans l'ouest, en allant vers Westmount, que dans l'est, en direction

LES VITRINES ATTIRENT LA CLIENTÈLE
Elles sont un instrument de commercialisation, chez Morgan comme dans les autres grands magasins.

FASTE ET MODERNITÉ AU RESTAURANT DU 9e CHEZ EATON

Au début des années 1930, Eaton désire contrer l'austérité de la crise économique en aménageant un somptueux restaurant dans son magasin de Montréal. L'entreprise retient les services de l'architecte français Jacques Carlu, notamment connu pour avoir réalisé le palais de Chaillot. L'objectif principal est d'attirer plus de clients en les séduisant, en les émerveillant. On crée ainsi au 9e et dernier étage du magasin de la rue Sainte-Catherine une vaste salle à manger empreinte de modernité. La cliente est transportée dans un décor de style Art déco inspiré des grands paquebots. Elle accède d'abord à un grand hall, qui abrite un foyer et un salon de thé, puis à une somptueuse salle à manger pouvant accueillir jusqu'à 600 convives. La salle sert également à la présentation d'événements, dont des défilés de mode. En 1981, le cinquantième anniversaire du restaurant est l'occasion pour Eaton de modifier sa décoration intérieure. La salle à manger doit cesser ses activités quand le magasin ferme ses portes en 1999. L'année suivante, le restaurant, représentation-phare du style Art déco à Montréal, est classé monument historique par le gouvernement du Québec, tandis que son mobilier est protégé comme bien culturel. (GLG)

UNE CAFETIÈRE DU RESTAURANT EATON

de Maisonneuve. Dans le quartier Sainte-Marie, un secteur commercial assez dense se développe, à l'est de l'avenue De Lorimier.

Si les grands magasins appartiennent surtout à des anglophones, le portrait est différent pour le petit commerce, où les francophones sont très nombreux. Des deux côtés du boulevard Saint-Laurent, on voit aussi émerger des commerçants juifs, dans la foulée de la croissance rapide du groupe de langue yiddish, récemment immigré de diverses parties de l'empire russe, notamment de Lituanie.

L'ÂGE D'OR DU GRAND MAGASIN

À Montréal, la charnière du XXe siècle a représenté l'époque d'implantation et d'organisation du grand magasin. Les années 1920 en sont l'âge de la plénitude. Ce type d'établissement atteint alors une renommée et un rayonnement exceptionnels. L'effervescence de la rue Sainte-Catherine reflète celle de toute la ville pendant ces « années folles ». La croissance urbaine, ralentie par la Première Guerre, reprend de plus belle. La population de l'agglomération, qui avait touché le demi-million en 1911, atteint le million d'habitants en 1931.

LA SALLE À MANGER ART DÉCO
À la fin du XXe siècle, elle se distingue toujours par son élégance.

LE MAGASIN SIMPSON
L'immeuble est construit en 1929, puis agrandi en 1949 et en 1953.

EATON ARRIVE EN VILLE

L'événement de la décennie est l'implantation à Montréal du plus célèbre et plus important détaillant canadien, l'entreprise torontoise Eaton. Celle-ci est connue depuis longtemps au Québec, grâce à son catalogue de vente postale, mais elle n'y a pas encore pignon sur rue. En 1925, elle fait l'acquisition de Goodwin. Son arrivée avive la concurrence, alors que tous les grands magasins rivalisent d'adresse pour attirer la clientèle. L'image publique de ces entreprises représente en effet un atout important.

Dès 1925, Eaton confie aux célèbres architectes Ross et Macdonald le soin de repenser complètement le magasin montréalais qu'elle vient d'acquérir. Dans une première étape, terminée en 1927, la façade est refaite, les volumes intérieurs transformés et la hauteur est portée à six étages. La seconde étape, complétée en 1931, permet d'ajouter trois autres étages à l'immeuble et d'ouvrir le célèbre restaurant du « 9e ».

Les transformations architecturales touchent aussi les autres grands magasins. Dès 1923, la famille Morgan met en chantier une annexe de huit étages, le long de l'avenue Union, qui lui permet de tripler la superficie de son établissement. De son côté, Ogilvy poursuit sur sa lancée dans son nouvel immeuble de 1912. Quinze ans plus tard, la famille vend l'entreprise à J. Aird Nesbitt qui, en 1928, confie à Ross et Macdonald l'ajout d'un cinquième étage et l'aménagement d'une salle de concerts, le Tudor Hall. Finalement, la compagnie Simpson, propriétaire du magasin Murphy, décide, en 1929, de le reconstruire et de l'exploiter désormais sous son propre nom. Le nouvel immeuble, de huit étages, est une copie de celui du magasin de Toronto.

Ainsi, au cours des années 1920, portés par la prospérité ambiante et par la croissance rapide de leurs affaires, les grands magasins de l'ouest de la ville connaissent une forte expansion, à laquelle la crise des années 1930 vient mettre un frein.

LE MAGASIN DU PEUPLE

À l'est, Dupuis est lui aussi en croissance. En 1921, son chiffre d'affaires dépasse les quatre millions de dollars, alors qu'il était de moins d'un demi-million dix ans plus tôt. La maison cultive son image d'entreprise canadienne-française au service des Canadiens français et se présente comme « Le magasin du peuple ». Elle publie un catalogue pour desservir la clientèle de l'extérieur de la ville. Elle porte une attention particulière aux membres du clergé, qui ont droit à un catalogue spécifique et à un accueil privilégié, dont un escompte, quand ils se présentent au magasin.

Depuis son déménagement, en 1882, le magasin s'est agrandi par l'acquisition d'immeubles avoisinants, de sorte que sa façade de la rue Sainte-Catherine présente un aspect hétéroclite. En 1923, l'immeuble est agrandi par l'arrière, avec la construction d'une imposante annexe qui permet de doubler sa superficie et de redistribuer les rayons. Il faut toutefois attendre 1937 pour que la partie avant soit refaite et que l'ensemble présente une façade et un volume unifiés. En 1924, Albert Dupuis acquiert de son oncle Narcisse le contrôle majoritaire de l'entreprise, qui passe ainsi aux mains d'une nouvelle génération.

PLEIN LA VUE
Le rayon des cadeaux chez Dupuis, vers 1920.

VENDEUSE CHEZ OGILVY

« Tititte se croit la plus sophistiquée des trois sœurs Desrosiers parce qu'elle vend des gants chez Ogilvy, un grand magasin de la rue Sainte-Catherine Ouest fréquenté par les riches de Westmount et d'Outremont. Ses clientes – les hommes sont rares, ils sont trop pris par leur travail pour s'occuper de choses aussi futiles que le magasinage et font acheter leurs gants par leurs femmes – sont exigeantes, snobs, impolies, mais Tititte admire leur allure altière, leurs vêtements ruineux, les parfums sans prix dont elles s'aspergent, des effluves capiteux qui annoncent leur arrivée en fanfares de fleurs assassinées et traînent longtemps autour de la vendeuse après leur départ, volatils mais insis-
tants. Elle excuse leur arrogance en se disant qu'elle ferait la même chose si elle se trouvait à leur place. Et en rêve en secret. »

Michel Tremblay, *La traversée de la ville*, 2008

QUAND LE MAGASINAGE DEVIENT UNE EXPÉRIENCE

Les agrandissements des années 1920 permettent aux commerçants de moderniser le décor des magasins et la présentation des marchandises. L'historienne Michelle Comeau s'est penchée sur ce phénomène qui transforme encore plus le magasinage en expérience visuelle.

Cela commence avant même d'entrer dans l'immeuble. Les vitrines deviennent plus grandes et plus nombreuses. Elles ont pour rôle d'allécher le passant et de l'inciter à franchir les portes. L'aménagement de ces vitrines est confié à des personnes formées spécifiquement afin de privilégier une présentation des produits allégée et efficace.

Une fois à l'intérieur, on découvre, surtout au rez-de-chaussée, un espace bien dégagé où les clientes peuvent déambuler à l'aise. La disposition des tables et des présentoirs devient aérée. Il est plus facile d'avoir accès à la marchandise, de la toucher, de l'essayer. La circulation dans le magasin est simplifiée grâce à l'installation de nombreux ascenseurs (les escaliers mécaniques en sont encore à leurs balbutiements et font timidement leur apparition).

Chaque magasin organise des défilés de mode, surtout à l'intention des clientes plus fortunées. Celles-ci ont d'ailleurs accès à des espaces bien identifiés, où elles peuvent admirer et essayer les créations de cou-

LE PÈRE NOËL AU BON MARCHÉ
Vers 1920, le magasin Letendre annonce, lui aussi, la présence du Père Noël (pages 78-79).

turiers réputés de Paris ou de Londres. Pour choyer encore plus cette clientèle, on organise des expositions d'art et des concerts dans les locaux du magasin. Les nouveaux restaurants aménagés dans les années 1920 doivent être beaux et attrayants. Ils permettent de retenir les clientes plus longtemps et contribuent à faire de leur visite au magasin une expérience agréable.

Évidemment, cela ne convient pas à toutes les bourses et certains magasins, notamment Eaton et Dupuis, consacrent une partie de leur sous-sol aux soldes et aux marchandises à bas prix. Sur ce plan, il existe des différences entre les grands magasins. Morgan et Ogilvy visent plus la clientèle riche, généralement anglophone, tandis que Eaton et Dupuis veulent manifestement atteindre un plus vaste éventail de milieux sociaux et cherchent, par leur publicité, à rejoindre les deux groupes linguistiques.

DES SAISONS À VENDRE

La vie des grands magasins — et de l'ensemble du commerce de détail de la rue Sainte-Catherine — est rythmée par les quatre saisons. Chacune exige une garde-robe, et donc une occasion de ventes, distincte. Été comme hiver, cela justifie une mise en marché et une promotion particulières. Celles-ci passent surtout par les journaux quotidiens, où les grands magasins sont les plus gros annonceurs.

Il y a aussi un autre type de saison, celle qui gravite autour d'un événement. À Montréal comme ailleurs, les achats de Noël représentent un temps fort du magasinage et du chiffre d'affaires des commerçants. Ceux-ci publient des catalogues spéciaux (Morgan en a un dès 1897) et déploient une énergie extraordinaire pour attirer les consommateurs et leurs enfants. En témoigne bien la commercialisation croissante de l'image du Père Noël, jusque-là appelé Santa Claus.

Dès le début du siècle, certains grands magasins mettent en scène, rue Sainte-Catherine, des défilés du Père Noël et de ses chars allégoriques. L'implantation de Eaton en 1925 donne un nouveau souffle à cette activité annuelle qui attire des foules de curieux et marque le début de la saison d'achat des cadeaux. Chaque grand

LA MODE SAISONNIÈRE

Le célèbre quincaillier Ravary, de Maisonneuve, vend aussi des articles de sport.

CHEZ SIMPSON
La foule se presse au rez-de-chaussée du magasin en 1939.

magasin a son Père Noël qui, pendant des semaines, accueille quotidiennement les enfants et fait de leur visite un événement mémorable. Dupuis aura aussi, en plus, sa Fée des étoiles. Tout autour s'étend le « Royaume » (ou la « Ville ») des jouets, avec son décor adapté. À travers le regard des enfants, il vise la bourse des parents consommateurs.

D'autres moments de l'année présentent aussi un potentiel de mise en marché particulière que les commerçants ne manquent pas d'exploiter par des promotions adaptées. Il y a d'autres fêtes religieuses, comme Pâques ou la Première communion. Il y a le temps des déménagements, alors le 1er mai, et celui des mariages, principalement l'été.

DE NOUVEAUX VISAGES

Si les grands magasins dominent le paysage, la rue Sainte-Catherine continue d'offrir un éventail commercial varié, avec ses marchands de toutes sortes. On voit toutefois apparaître de nouveaux types d'établissements.

Particulièrement remarquable est la percée des chaînes de magasins à bon marché. Offrant un vaste choix de marchandises à des prix allant de cinq cents à un dollar, ils sont familièrement connus sous l'appellation « 5-10-15 ». Le concept vient des États-Unis, où l'un des pionniers, F. W. Woolworth, a mis sur pied une vaste chaîne, déjà présente à Montréal avant la Première Guerre. Bien d'autres l'imitent en ouvrant des magasins dans divers quartiers de la ville, mais en s'assurant d'en avoir au moins un, souvent deux (dans l'est et dans l'ouest), rue Sainte-Catherine. À la fin des années 1920, celle-ci abrite des succursales de Woolworth, People, Economy, Federal, Grand, Steel, United et Variety, en plus de quelques magasins indépendants. Au cours de la décennie suivante, d'autres chaînes s'y établiront à leur tour, notamment Kresge et Teco (la filiale à bas prix de Eaton).

Une autre activité commerciale nouvelle s'implante le long de la rue : la vente d'automobiles. Au début, c'est encore un produit de luxe et les marchands s'établissent dans l'ouest, entre la rue Guy et l'avenue Atwater, là où se trouve la clientèle la plus riche. Même Morgan en vend pendant quelque temps. Dans les années 1920, les autos deviennent plus accessibles, ce qui favorise la multiplication de ce type de magasins et leur implantation dans d'autres parties de la ville. Les grandes marques américaines sont toutes représentées rue Sainte-Catherine. Il y a un fort roulement des concessionnaires, mais certains sont là pour longtemps, tels Cumming-Perrault, près de la rue Guy, (à partir de 1926) et Duval Motors, dans Maisonneuve (à partir de 1928).

DUVAL MOTORS
Ce concessionnaire automobile vise la clientèle d'Hochelaga et de Maisonneuve en annonçant dans *Les Nouvelles de l'Est*.

**DES MARCHAN-
DISES À BAS PRIX**
Le magasin Woolworth en offre en abondance vers 1930, dans un décor dépouillé.

*CHRISTMAS AT
MORGAN'S*
Cette peinture (vers 1936-1937) d'Adrien Hébert traduit l'animation de Noël devant les vitrines des grands magasins. (pages 84-85).

Adrien Hébert

PHARMACIE MONTREAL PHARMACY

PHARMACIE MONTREAL

916 EST RUE STE. CATHERINE ST. MONTREAL, QUE.
The Largest and Most Luxuriously Appointed Drug Store in the World
TO SERVE YOU · HARBOUR 7251 · DAY AND NIGHT
La Plus Grande et Plus Luxeuse Pharmacie de Detail au Monde
POUR VOUS SERVIR · HARBOUR 7251 · JOUR ET NUIT

UN PRÉCURSEUR DE JEAN COUTU
En pleine crise économique, en 1934, le pharmacien Charles Duquette installe sa célèbre pharmacie dans un immeuble de style Art déco.

L'APOGÉE DES GRANDS MAGASINS

Dans les années 1920, les grands magasins de Montréal sont devenus des mécaniques bien huilées. Ils sont passés maîtres dans l'art d'attirer et de retenir les clients et de les faire dépenser toujours plus. Ils ont fait de la rue Sainte-Catherine une destination métropolitaine, y amenant des Montréalais de tous les quartiers et de la banlieue. Ils lui ont même donné une vocation régionale puisqu'on vient régulièrement de Saint-Jérôme, de Joliette ou de Saint-Hyacinthe pour y magasiner. Grâce au camion, ils peuvent d'ailleurs offrir la livraison à domicile. Ils poursuivent sur cette lancée jusque dans les années 1960.

DES TEMPS INCERTAINS

Entre-temps, ils doivent traverser la crise économique des années 1930, qui affecte les consommateurs. La situation des grands magasins de cette époque n'a guère été étudiée, mais on peut observer qu'aucun ne fait faillite et que Dupuis est même capable d'agrandir son magasin. Manifestement, leur capitalisation est assez forte pour leur permettre de tenir le coup. Ils y parviennent aussi en réduisant le salaire des employés et en accordant plus de place aux marchandises à bas prix.

Les temps difficiles profitent aux chaînes de « 5-10-15 ». Grâce à leur pouvoir d'achat, elles peuvent maintenir leurs bas prix et répondre ainsi à la demande des consommateurs. Les grandes victimes sont les petits commerçants indépendants. Sans beaucoup de capital, sans pouvoir de négociation avec les fournisseurs, souvent obligés de faire crédit à leurs clients, ils sont nombreux à faire faillite. Sur ce plan, la crise affecte particulièrement le petit commerce francophone.

La Deuxième Guerre mondiale ramène le plein-emploi et la prospérité. La clientèle a plus d'argent à sa disposition, mais les grands magasins doivent composer avec le rationnement de certains produits et avec la réglementation décrétés par le gouvernement fédéral. Ce dernier, par exemple, adopte des contraintes de style et de longueur pour les vêtements, afin d'économiser le tissu. Tous les grands magasins, même Dupuis, participent activement à l'effort de guerre. Ils informent leur clientèle sur le rationnement et l'encouragent à économiser les ressources. Leurs annonces publicitaires intègrent des messages d'appui aux troupes et aux politiques gouvernementales.

UNE NOUVELLE POUSSÉE DE CROISSANCE

Dans l'après-guerre, grâce au baby-boom et à la reprise de l'immigration, la population de l'agglomération montréalaise augmente à un rythme rapide, pour atteindre deux millions d'habitants en 1961. L'économie tourne à plein régime et le chômage est faible. Le pouvoir d'achat atteint des niveaux inégalés, ce qui ouvre la voie à la société de consommation.

Les magasins de la rue Sainte-Catherine bénéficient de cette situation et voient leurs affaires prospérer. De plus en plus de familles ont une automobile et l'utilisent pour magasiner. L'engorgement qui en résulte oblige les autorités municipales à prendre des mesures pour faciliter la circulation et le stationnement au centre-ville.

Certains grands magasins font des agrandissements à l'arrière, du côté du futur boulevard De Maisonneuve. Ils occupent ainsi tout leur quadrilatère. Simpson le fait en 1953-1954, et Eaton en 1957-1958. Quelques années plus tard, Morgan déborde plus au nord, en faisant construire un stationnement étagé.

DES PRODUITS ÉLÉGANTS

Ce soulier en tissu blanc avec motifs polychromes est fabriqué expressément pour les magasins Simpson vers 1960.

Ces établissements atteignent alors leurs dimensions maximales. Celles du magasin Eaton en font le plus vaste au Canada et le quatrième en Amérique du Nord. L'expansion ne se limite pas au centre-ville. Ainsi, dans les années 1950, Morgan ouvre quatre magasins dans d'autres quartiers ou banlieues de Montréal, et cinq en Ontario.

VENT DE CHANGEMENT

Des magasins de cette taille ne peuvent survivre en s'appuyant uniquement sur la clientèle anglophone. Déjà, Eaton courtisait les francophones et annonçait abondamment, non seulement dans les quotidiens de langue anglaise, mais aussi dans *La Presse*. Après la guerre, Morgan, Simpson et Ogilvy doivent eux aussi s'ouvrir et leur présence dans le quotidien franco-phone s'accroît. Cela augmente la concurrence envers Dupuis, dont c'est la clientèle de base. Malgré cette ouverture, le magasinage en français rue Sainte-Catherine Ouest reste bien aléatoire, sauf peut-être chez Eaton. Qui plus est, cette rue conserve, jusque dans les années 1960, un très fort uni-linguisme anglais, notamment dans l'affichage commercial.

LA DOMINATION DE L'ANGLAIS
Rue Sainte-Catherine Ouest, en 1961, l'anglais occupe toute la place dans l'affichage commercial.

Les années d'après-guerre amènent d'autres clientèles rue Sainte-Catherine. Avec la croissance des fonctions administratives dans le nouveau centre-ville, des dizaines de milliers d'employés œuvrant dans les tours de bureaux envahissent le secteur et en profitent pour faire des courses le midi ou après le travail. Par ailleurs, le développement du tourisme, notamment américain, fournit des clients, occasionnels mais dépensiers, qui contribuent au chiffre d'affaires.

Ces développements concernent surtout la partie ouest de la rue Sainte-Catherine. La partie est, où se trouve Dupuis, paraît un peu laissée pour compte, au milieu d'une zone résidentielle appauvrie. Au début des années 1960, la famille Dupuis cède le contrôle de l'entreprise, que de nouveaux propriétaires tenteront de relancer. À l'ouest, une autre grande famille, celle des Morgan, quitte elle aussi la scène, en 1960, en vendant sa chaîne de magasins à la Compagnie de la Baie d'Hudson. Celle-ci continue, jusqu'en 1972, à exploiter sa nouvelle acquisition sous le nom de Morgan.

Selon le géographe Ludger Beauregard, la rue Sainte-Catherine est encore, à la fin des années 1960, la principale artère commerciale de Montréal. Elle compte 832 magasins (dont le quart vendent des vêtements) qui emploient environ 15 000 personnes. De ce nombre, plus de 10 000 travaillent dans l'un ou l'autre des cinq grands magasins, ce qui indique bien le poids dont ils jouissent encore. Eaton, qui en emploie la moitié à lui seul, accueille chaque jour de 30 000 à 50 000 clients, et le double quand l'achalandage est fort.

Deux phénomènes nouveaux commencent déjà à menacer l'emprise commerciale de la rue Sainte-Catherine. D'une part, le développement de galeries de boutiques dans les complexes de bureaux crée une concurrence nouvelle au cœur même du centre-ville. D'autre part, la construction de grands centres commerciaux de banlieue risque d'attirer une partie de la clientèle traditionnelle de la rue Sainte-Catherine. La concurrence est donc plus vive et les commerçants doivent s'ajuster aux changements accélérés.

CHAPITRE 3

L'AXE D'UN NOUVEAU
CENTRE-VILLE

Devenue la grande artère commerciale de Montréal à la fin du XIXᵉ siècle, la rue Sainte-Catherine attire de nombreuses autres activités. Particulièrement importantes sont les fonctions de gestion, longtemps implantées dans le Vieux-Montréal, qui migrent graduellement vers le nord. Certaines activités de fabrication empruntent le même chemin. Ces déplacements contribuent à faire de la rue le pivot d'un nouveau centre-ville et un axe de circulation majeur.

UN LIEU DE CONVERGENCE

Le centre-ville constitue le cœur de toute agglomération. C'est le lieu du pouvoir économique et souvent politique. Là converge toute l'information nécessaire à la conduite des affaires et à l'exercice du pouvoir. C'est un lieu de prestige où les entreprises peuvent afficher leur réussite.

Au début, espaces de travail et d'habitation s'y entremêlent. Avec l'expansion urbaine, le centre-ville perd sa fonction résidentielle et devient un lieu distinct, connu et reconnu. Il naît souvent près du port, lien vital entre la ville et l'extérieur. C'est donc d'abord le lieu où se concentrent les magasins et les entrepôts des marchands, des importateurs, des grossistes. Puis suivent les banquiers, les assureurs et les

LA RUE SAINTE-CATHERINE OUEST EN 1930
Tramways et automobiles se disputent l'espace dans ce segment de la voie dominé par l'immeuble Drummond. Situé à l'angle de la rue Peel, celui-ci a été conçu par l'architecte H. S. Stone et sa structure d'acier a été érigée par la société montréalaise Dominion Bridge.

éditeurs de journaux. Le phénomène s'observe dans tous les grands centres d'Amérique du Nord et il se perçoit bien dans le Vieux-Montréal. À l'animation commerciale se greffent les fonctions judiciaires et politiques symbolisées par la présence du palais de justice et de l'hôtel de ville au cœur de l'agglomération.

UN CŒUR QUI SE DILATE

À partir du milieu du XIXe siècle, l'économie montréalaise se diversifie de façon importante. Elle n'est plus seulement l'apanage des importateurs et des grossistes. On voit se multiplier les sociétés ferroviaires, les industries manufacturières, les banques et les compagnies d'assurances. Toutes ces entreprises ont besoin d'espace pour exercer leurs activités et le centre-ville doit s'étendre, aussi bien à l'horizontale qu'à la verticale.

La première solution est d'accroître la densité en misant sur la hauteur. De nouvelles techniques de construction permettent d'ériger des immeubles plus vastes et plus hauts, desservis par une autre innovation, l'ascenseur. Tout l'ouest du Vieux-Montréal se couvre alors d'une succession de magasins-entrepôts ayant de quatre à six étages. La course à la hauteur connaîtra un nouveau souffle au début du siècle suivant, quand le gratte-ciel à l'américaine s'implantera à Montréal. Pour l'heure, la nouvelle hauteur répond assez bien aux besoins, même si quelques-uns commencent à la dépasser.

Le territoire occupé par les immeubles commerciaux s'étend constamment. Les anciennes résidences et leurs cours disparaissent et les édifices qui les remplacent occupent la totalité du lot. Jusqu'à la fin du siècle, le Vieux-Montréal dispose de suffisamment d'espace à bâtir pour répondre aux besoins des entreprises qui s'y installent.

Certaines activités sont tout de même amenées à s'établir ailleurs. Les compagnies ferroviaires nécessitent de vastes superficies pour leurs voies, leurs cours de triage et leurs gares terminus, et elles choisissent généralement des sites à la périphérie du

L'IMMEUBLE SUN LIFE VERS 1931
La construction de cet édifice imposant s'achève. À gauche, on peut voir la rue Sainte-Catherine, le long de laquelle ressort l'immeuble Confédération, tout récent (page de droite).

LES ASCENSEURS DE L'IMMEUBLE DOMINION SQUARE

centre. C'est ce que fait le Grand Tronc, avec sa gare Bonaventure, puis le Canadien Pacifique, avec ses gares Viger et Windsor. Dans leurs parages s'installent quelques grands hôtels. En outre, de plus en plus d'entreprises manufacturières choisissent d'implanter leurs usines à l'extérieur du centre.

L'attrait du centre-ville reste tout de même très fort. La demande est telle qu'il faut constamment démolir pour ériger de nouveaux immeubles plus grands et plus hauts. Au tournant du siècle, on commence à se sentir à l'étroit dans le Vieux-Montréal. Comment expliquer cette situation ?

LA GRANDE ENTREPRISE S'IMPOSE

La montée de la grande entreprise marque le monde des affaires de cette époque. Elle est accentuée par la vague de fusions qui déferle sur le Canada au début du XXe siècle. Auparavant, l'entreprise type occupait un seul emplacement, où se déroulaient toutes ses activités et où le propriétaire côtoyait quotidiennement ses employés. L'entreprise de nouvelle génération est plutôt caractérisée par la multiplication de ses places d'affaires. Les sociétés ferroviaires ont des centaines de gares et des milliers de wagons dont il faut coordonner les mouvements. Les banques ouvrent de plus en plus de succursales à travers le pays. Les compagnies d'assurances ont en vigueur des milliers de polices vendues par des centaines d'agents ou de représentants éparpillés dans toute la province et même au-delà. Les entreprises manufacturières possèdent souvent plusieurs usines réparties dans des sites éloignés les uns des autres.

LE NOUVEAU CENTRE-VILLE EN 1930

Cette vue, prise à l'angle du square Phillips montre, à gauche, l'immeuble de Canada Cement et, au fond à droite, la tour University, remarquable par son modernisme.

La grande entreprise doit donc compter sur un personnel de plus en plus nombreux pour gérer et coordonner tout cela. Elle cherche à centraliser la comptabilité et les finances, les commandes et l'approvisionnement, ainsi que la gestion des ressources humaines. C'est ainsi qu'émerge le siège social, ce lieu de pouvoir distinct des lieux de production et de service à la clientèle. Il est installé dans un immeuble qui doit avoir un certain prestige puisqu'il devient le symbole et l'image publique de l'entreprise. Là travaillent des dizaines, puis des centaines et parfois des milliers de commis, secrétaires, dactylos, comptables et gestionnaires. Dans certains cas, la croissance est phénoménale. Ainsi, le siège social de la compagnie d'assurances Sun Life n'emploie que 20 personnes en 1890 ; 40 ans plus tard, il en compte près de 3000. Tout au cours de la période, Montréal est la ville canadienne qui rassemble le plus de sièges sociaux de grandes entreprises, ce qui a un effet sur la demande d'espace au centre.

Leur croissance a des retombées importantes pour la myriade de sociétés au service des grandes entreprises à l'œuvre dans la métropole. Les cabinets d'avocats, de notaires, de comptables se multiplient, tout comme les sociétés de financement ou de communications et les bureaux d'ingénieurs, d'architectes ou même de publicitaires.

L'ÉMERGENCE DE L'IMMEUBLE DE BUREAUX

Ces transformations rapides engendrent une forte demande de nouveaux bureaux pour loger le personnel administratif en croissance. Les vieux magasins-entrepôts ne suffisent plus et ne sont pas nécessairement bien adaptés aux besoins. On voit ainsi émerger un nouveau type d'immeuble, destiné à abriter essentiellement des bureaux. Sa structure d'acier se profile en hauteur, car il prend souvent l'allure du gratte-ciel.

Comme bien d'autres villes nord-américaines, Montréal veut réglementer les dimensions de ces nouvelles structures. En 1901, la municipalité adopte un règlement limitant leur hauteur à dix étages. Plusieurs promoteurs s'empressent alors de faire construire des immeubles de bureaux de cette hauteur. En 1924 (puis en 1929), s'inspirant d'un règlement new-yorkais, Montréal autorisera les tours plus élevées (une vingtaine d'étages) si elles sont de forme pyramidale.

Dès le début du siècle, la multiplication des immeubles de bureaux provoque l'extension géographique du centre-ville hors de son cadre traditionnel. Quelle place occupe la rue Sainte-Catherine dans ce mouvement ?

UNE MIGRATION VERS LA RUE SAINTE-CATHERINE

La migration des activités administratives, du Vieux-Montréal vers le secteur de la rue Sainte-Catherine, s'amorce dans les années qui précèdent la Première Guerre mondiale. Elle va se poursuivre et s'intensifier dans les années 1920, puis dans l'après-guerre. Le processus s'étend sur un demi-siècle et il faut attendre le début des années 1960 pour que le nouveau centre-ville supplante définitivement l'ancien.

Plusieurs des immeubles de bureaux les plus marquants sont érigés le long des voies perpendiculaires ou parallèles à la rue Sainte-Catherine. À cause de son caractère commercial déjà bien affirmé, celle-ci forme tout de même l'axe central de ce nouveau centre-ville, en plus d'attirer quelques immeubles importants.

LES PREMIERS PAS

La rue Sainte-Catherine se distingue par la mixité des fonctions qui caractérise plusieurs des bâtiments qui la bordent. Dans les tours de bureaux, le rez-de-chaussée est consacré à des activités commerciales (magasins, restaurants, etc.). Par ailleurs, des immeubles construits pour loger des magasins offrent souvent en location des bureaux aux étages supérieurs.

Dans l'ouest, les immeubles Coronation (angle Bishop) et Bagg (angle Peel) ouvrent tous deux le bal en 1911. De taille encore modeste (quatre étages chacun), ils sont conçus à des fins administratives. Trois ans plus tard, la construction de l'édifice Drummond, à l'angle nord-ouest de la rue Peel, marque une autre étape. Cette tour de bureaux fait dix étages, le maximum permis par la réglementation municipale. Son érection est complétée en un temps record (sept semaines). Elle domine le paysage de la rue. Selon l'annuaire Lovell, on y trouve une quarantaine de locataires, dont un cabinet de dentistes, deux consulats, des architectes et surtout des bureaux de plusieurs entreprises industrielles, financières ou commerciales.

L'édifice Drummond a déjà son pendant au cœur de l'est francophone. Dès 1912, le célèbre promoteur montréalais U. H. Dandurand fait ériger, à l'angle de la rue Saint-Denis, une tour de bureaux de dix étages. Selon l'historienne de l'art Madeleine Forget, certains locaux équipés de voûtes y sont destinés aux sociétés d'assurances et autres entreprises ayant des documents importants à protéger. On veut aussi attirer des cabinets de médecins et de dentistes en leur réservant deux étages. L'immeuble Dandurand demeure toutefois un cas isolé, car la demande de locaux administratifs est nettement moins forte dans l'est que dans l'ouest.

Les banques contribuent aussi à l'offre locative. La plupart d'entre elles ont une ou même plusieurs succursales rue Sainte-Catherine. Certaines louent un emplacement au rez-de-chaussée d'un grand immeuble, mais d'autres préfèrent ériger un bâtiment distinct dont les étages supérieurs peuvent abriter des bureaux mis en location. La Banque de Montréal a été un précurseur avec sa succursale West End, construite en 1889 (angle Mansfield). Un peu plus à l'ouest, elle est imitée par la Banque Molson en 1900, par celle de Toronto en 1908 et par celle des Cantons-de-l'Est en 1910. De son côté, la Banque Royale s'établit à Westmount en 1904. Dans l'est francophone, entre 1904 et 1905, les banques d'Épargne, de Montréal et des Marchands font elles aussi bâtir de nouvelles succursales.

LA BANQUE DES MARCHANDS

Cet immeuble est érigé en 1905 à l'angle de la rue Fullum pour abriter une succursale bancaire.

En 1913, la compagnie d'assurances Sun Life entreprend la construction d'un nouveau siège social, inauguré cinq ans plus tard aux abords du square Dominion, juste au sud de la rue Sainte-Catherine. Ce geste est particulièrement symbolique, car, pour la première fois, une très grande entreprise montréalaise du secteur de la finance quitte le Vieux-Montréal, où elle était établie depuis 1871, pour s'installer dans le nouveau centre-ville.

L'ESSOR ARCHITECTURAL DES ANNÉES FOLLES

La Première Guerre mondiale, puis la récession de 1920-1922, ralentissent la construction d'immeubles de bureaux, mais celle-ci reprend de plus belle pendant le reste des années 1920. Elle sera brusquement interrompue par la crise économique de 1929, alors qu'on se limitera à compléter les chantiers déjà amorcés.

La compagnie Sun Life donne encore une fois l'exemple. Elle agrandit son nouveau siège social à deux reprises. Une première expansion est complétée en 1926; la seconde, plus imposante, est menée à bien entre 1929 et 1933. À la fin de l'opération, le bâtiment occupe plus de la moitié d'un îlot et sa tour centrale compte 26 étages. On le considère alors comme le plus grand immeuble de tout le Commonwealth britannique. Pendant cette période, d'autres grandes entreprises choisissent aussi d'implanter leur siège social dans le nouveau centre-ville. C'est notamment le cas de Canada Cement qui, en 1922, fait construire rue Cathcart, du côté sud du square Phillips, une tour de dix étages, avec deux étages de stationnement souterrain, une nouveauté qui témoigne de l'importance grandissante de l'automobile pour les cadres des entreprises.

La rue Sainte-Catherine n'est pas en reste. Plusieurs nouveaux immeubles de bureaux desservant de multiples locataires y sont érigés pendant les années folles. Les plus importants sont conçus par la grande agence montréalaise d'architectes Ross et Macdonald. Celle-ci signe en particulier les immeubles Keefer, Castle et Confédération, d'une dizaine d'étages chacun et le Dental Science,

L'IMMEUBLE CONFÉDÉRATION

Construit en 1927-1928, cet immeuble de bureaux est situé à l'angle de l'avenue McGill College. Il est l'œuvre des architectes Ross et Macdonald.

LA BANQUE D'ÉPARGNE

Œuvre de l'architecte Alfred-Hector Lapierre, cette succursale bancaire est construite en 1920 à l'angle de la rue Saint-Timothée.

UN CHEF-D'ŒUVRE ARCHITECTURAL

Le Dominion Square est l'un des plus remarquables immeubles construits à Montréal dans les années 1920. Commandé par un groupe d'investisseurs montréalais et érigé en 1928-1929, il est conçu par la célèbre agence d'architectes Ross et Macdonald. Au moment de sa construction, c'est le plus vaste immeuble de bureaux du Canada.

L'édifice jouit d'une double façade : l'une donnant sur la rue Sainte-Catherine, l'autre sur le square Dominion (aujourd'hui Dorchester) dont il reprend le nom. Il compte 12 étages hors terre, mais aussi quatre en souterrain, afin de loger un vaste garage. La plus grande partie de l'immeuble a une structure en forme de double peigne, ce qui lui donne trois ailes de chaque côté.

Une grande originalité du Dominion Square, à l'époque, est sa vaste et élégante galerie marchande intérieure répartie sur deux étages, dont le second est accessible par des escaliers mobiles en bois. Les dix autres étages abritent des bureaux accessibles grâce à huit ascenseurs rapides et automatisés.

Selon l'historien de l'architecture Jacques Lachapelle, toutes ces caractéristiques font du Dominion Square un véritable précurseur de la Place Ville Marie et des autres complexes érigés par la suite à Montréal.

L'IMMEUBLE DOMINION SQUARE
Cette réalisation imposante des architectes Ross et Macdonald apparaît à droite, à l'avant-plan, sur cette carte postale de la rue Sainte-Catherine.

plus petit. Son œuvre la plus marquante est cependant l'immeuble Dominion Square, l'un des plus imposants de la rue Sainte-Catherine, érigé en 1928. L'agence conçoit aussi les plans de l'immense hôtel Mont-Royal, construit en 1921-1922 juste au nord de la rue.

Quelques autres immeubles de bureaux, œuvres de divers architectes, s'ajoutent aussi au patrimoine immobilier de la rue Sainte-Catherine à la même époque. Certains ont des allures très modernes, notamment la tour University, à l'angle de la rue du même nom, conçue par H. L. Fetherstonhaugh, et le Crescent, dont les plans sont de l'agence Perrault et Gadbois. Les banques ajoutent aussi leur grain de sel, avec quelques édifices distincts. La Banque d'Épargne à elle seule en érige trois, respectivement à l'angle des rues Saint-Timothée (1920), Dufresne (1921) et de l'avenue McGill

College (1933). La Banque de Montréal construit une succursale dans Maisonneuve en 1920, tandis que la Banque des Marchands (1921) et la Banque du Dominion (1927) ont aussi de nouveaux immeubles. Si on ajoute à tout cela les agrandissements de grands magasins, mentionnés au chapitre précédent, on peut imaginer que, dans les années 1920, la rue Sainte-Catherine Ouest a les allures d'un immense chantier de construction.

DES USINES ET DES ATELIERS AUSSI...

La rue Sainte-Catherine avait déjà un pôle industriel, dans l'est, aux environs de l'avenue De Lorimier. Voilà que le phénomène touche aussi la partie centrale de la rue pendant les années précédant la Première Guerre mondiale.

LES MÉTIERS DE L'AIGUILLE

Il s'agit, là encore, d'une migration à partir du Vieux-Montréal. Elle touche en particulier le secteur de la confection de vêtements, une spécialité montréalaise déjà ancienne dont les entreprises ont depuis longtemps pignon sur rue dans les magasins-entrepôts de la vieille ville. L'industrie est en forte expansion au début du siècle et se déplace vers le nord, d'abord autour d'un pôle formé par l'intersection des rues Sainte-Catherine et De Bleury, puis dans l'axe du boulevard Saint-Laurent. La plupart des patrons et une grande partie de la main-d'œuvre sont désormais associés à la communauté juive, dont les effectifs s'accroissent très rapidement à Montréal grâce à une vague migratoire en provenance d'Europe de l'Est.

Quelques grandes entreprises de confection sont déjà bien implantées, mais à Montréal comme à New York, cette industrie est caractérisée par l'existence d'une multitude de petites et moyennes entreprises, d'ateliers travaillant à sous-contrat pour les grands donneurs d'ouvrage. Ces PME, aux assises financières souvent fragiles, ont besoin d'espaces locatifs pour exercer leurs activités.

L'IMMEUBLE BLUMENTHAL
Ce joyau du patrimoine industriel montréalais est longtemps consacré à la confection et à la vente de vêtements. Les plans sont de l'agence Mitchell et Ogilvy.

Flairant la bonne affaire, plusieurs promoteurs commencent à ériger des immeubles de type *lofts* dotés de grands espaces pouvant être utilisés à des fins manufacturières et subdivisés à volonté. Ils choisissent souvent de construire en béton armé, un matériau qui permet de supporter de lourds équipements. La rue Sainte-Catherine offre de beaux exemples de cette tendance. Ces immeubles sont multifonctionnels : conçus pour des ateliers, ils peuvent aussi abriter des bureaux, ainsi que des magasins, en particulier au rez-de-chaussée.

En quelques années à peine, quatre édifices de ce type sont érigés le long de la rue. Le Jacobs ouvre le bal en 1910, à l'angle de la rue Saint-Alexandre. Construit en béton, il serait alors le plus grand du genre au Canada. Cette vaste structure compte six étages et on en ajoutera quatre autres en 1928. En 1912, un immeuble semblable, comptant lui aussi six étages, occupe tout le terrain entre les rues Saint-Alexandre et De Bleury. Appelé le Belgo, il est à l'origine conçu pour loger le grand magasin Scroggie et il abrite son successeur, Almy, quelques années, mais ses espaces locatifs sont surtout occupés par des ateliers de confection. Un peu plus à l'est, angle Balmoral, le Blumenthal est construit en 1910. Occupant une superficie nettement moindre que les deux précédents, il fait tout de même sept étages et est bien connu pour sa façade en terre cuite vitrifiée. Tout près de là, angle Saint-Urbain, le Kellert, lui aussi de sept étages, est construit en 1911.

Ces ajouts au stock immobilier de la rue confirment son rôle d'épicentre de l'industrie montréalaise du vêtement à la veille de la Première Guerre mondiale. En outre, les ateliers de confection sont nombreux dans d'autres édifices érigés à proximité dans les rues transversales. Soulignons également que, dans cette partie de la ville, la rue Sainte-Catherine borde le nouveau quartier de la fourrure (auparavant logé rue Saint-Paul), qui commence à se développer le long des rues Saint-Alexandre et Mayor.

Plus loin vers l'est, l'imposant immeuble Amherst, au coin de la rue du même nom, conçu par Ross et Macdonald, est érigé en 1925. Haut de six étages, il abrite des magasins, un théâtre, des bureaux et surtout des ateliers de vêtements. Le choix de cet emplacement est-il un effet de la présence croissante des couturières francophones dans l'industrie de la confection ? Signalons aussi, à la hauteur de la rue Berger, le petit immeuble de style Art déco que le tailleur Charles Laforce fait construire en 1936 pour loger son magasin et ses ateliers.

L'IMMEUBLE AMHERST
En 1961, il marque encore le paysage de la rue Sainte-Catherine Est (page de gauche, à droite, à l'arrière-plan).

LES IMMEUBLES BELGO ET JACOBS
À l'avant-plan, l'imposant édifice Belgo est l'œuvre des architectes Finley et Spence. À l'arrière se profile le Jacobs, conçu par Mitchell et Crighton et surélevé par Ross et Macdonald (pages 102-103).

Le 18 avril 1908, le quotidien *La Patrie* publie cette
gravure représentant l'utilisation de l'espace dans
son nouvel immeuble de la rue Sainte-Catherine.

DES SITUATIONS EXCEPTIONNELLES

Si la confection de vêtements occupe une place substantielle, certains autres sites industriels de la rue Sainte-Catherine apparaissent comme des exceptions.

À l'angle de l'avenue de l'Hôtel-de-Ville, l'immeuble de *La Patrie*, construit en 1905, est de ceux-là. Fondé par Honoré Beaugrand en 1879, *La Patrie* est devenu, au début du siècle, le deuxième quotidien franco-phone en importance à Montréal et il appartient à la famille Tarte. À l'époque, un quotidien c'est souvent une entreprise d'imprimerie qui non seulement produit un journal, mais réalise aussi beaucoup de travaux à contrat. La plus grande partie de l'immeuble de *La Patrie* est donc occu-pée par des activités manufacturières : composition, typographie, impression, reliure et expédition.

La décision de *La Patrie* de déménager de la rue Saint-Jacques à la rue Sainte-Catherine se distingue sur deux plans. À la même époque, une grande partie de l'industrie de l'imprimerie migre aussi, mais elle le fait à mi-chemin entre l'ancien et le nouveau centre-ville, dans un sec-teur appelé Paper Hill, dont le cœur se trouve à l'intersection des rues Saint-Alexandre et De La Gauchetière. Par ailleurs, les grands journaux, notamment *La Presse*, le *Star*, et la *Gazette,* ont tendance à rester, et pour très longtemps, dans le Vieux-Montréal.

Dans l'ouest, deux usines de fabrication alimentaire sont présentes pendant de longues périodes. Au début du siècle, une des premières laiteries industrielles de la ville, Guaranteed Pure Milk, s'installe entre les rues Saint-Mathieu et Saint-Marc et y reste quelques décennies. En 1930, l'en-treprise fait ériger une nouvelle usine rue Aqueduct (aujourd'hui Lucien-L'Allier). L'année même de ce déména-gement, la boulangerie Harrison Brothers fait construire un nouvel immeuble à Westmount, à proximité de la rue Bethune et de la voie ferrée du Canadien Pacifique. Elle y produit le pain POM (acronyme de *Pride of Montreal*).

UN IMMEUBLE ART DÉCO

En 1929, la compagnie Dominion Oil Cloth fait ériger, à l'angle de la rue Parthenais, ce petit immeuble de bureaux pour loger son siège social. Elle retient les services des archi-tectes Hutchison et Wood.

LE TRAMWAY 52

« Mercedes avait rencontré Béatrice dans le tramway 52 qui partait du petit terminus au coin de Mont-Royal et Fullum pour descendre jusqu'à Atwater et Sainte-Catherine. C'était la plus longue ride en ville et les ménagères du Plateau Mont-Royal en profitaient largement. Elles partaient en groupe, le vendredi ou le samedi bruyantes, rieuses, défonçant des sacs de bonbons à une cenne ou mâchant d'énormes chiques de gomme rose. »

Michel Tremblay, *La grosse femme d'à côté est enceinte*, Leméac, 1978

LE PÔLE DE L'EST

Dans le quartier Sainte-Marie, la vocation industrielle de la rue Sainte-Catherine s'était affirmée dès le XIXe siècle. À l'angle de la rue Plessis, la compagnie de Joseph Barsalou fabrique du savon dans son usine construite en 1888. Un peu avant la Première Guerre mondiale, la production est déménagée avenue De Lorimier.

Les environs de cette voie sont d'ailleurs au cœur du pôle de l'est. Du côté nord de la rue Sainte-Catherine, la tannerie Galibert, présente depuis 1863, reste en activité jusqu'en 1940. Du côté sud, vers 1904-1905, le Canadien Pacifique ferme ses ateliers, remplacés par les nouveaux ateliers Angus, dans Hochelaga. Le vaste site ferroviaire de la rue Sainte-Catherine est repris dès 1906 par l'entreprise américaine Carter White Lead, qui y exploite une usine de transformation du plomb.

Tout à côté, la compagnie Dominion Oil Cloth connaît une forte expansion et devient l'une des plus importantes de l'Est montréalais. La superficie de ses installations quadruple entre 1890 et 1907. En 1929, l'entreprise ajoute à son vaste complexe industriel un immeuble administratif de trois étages, à l'intersection de la rue Parthenais.

...ET MÊME DES APPARTEMENTS

L'occupation commerciale, administrative et manufacturière de la rue Sainte-Catherine fait reculer la fonction résidentielle. Dans le cœur du quartier Saint-Antoine, de luxueuses maisons bourgeoises sont démolies pour faire place aux nouveaux immeubles. C'est ce qui arrive à celle de l'imprimeur Lovell et à ses voisines quand Henry Morgan fait construire son magasin. Le secteur résidentiel ne disparaît pas complètement, il est simplement repoussé un peu plus loin. De nombreuses personnes souhaitent habiter à proximité du centre-ville et de son animation.

Au début du XXe siècle, on voit d'ailleurs apparaître à Montréal un phénomène nouveau qui touche beaucoup de grandes villes américaines : l'immeuble d'appartements. C'est d'abord un produit de luxe qui

L'USINE DOMINION OIL CLOTH

La compagnie Dominion Oil Cloth est fondée en 1872 par un groupe d'investisseurs montréalais dirigé par Andrew Allan et auquel participe Joseph Barsalou. Son nom français – la Compagnie des prélarts du Dominion – n'est pas vraiment utilisé. L'entreprise installe une petite usine de fabrication de toile cirée et de prélart à l'angle des rues Sainte-Catherine et Parthenais, dans le quartier Sainte-Marie. Première du genre en Amérique du Nord, elle connaît un vif succès et une croissance rapide. Au début du xxe siècle, elle diversifie sa production en y ajoutant notamment le linoléum (ce qui conduit à changer le nom de l'entreprise pour Dominion Oil Cloth & Linoleum). La superficie qu'elle occupe quadruple et ses installations comptent désormais six bâtiments. Les affaires de la compagnie tournent rondement, et elle fait ériger, en 1929, un nouvel immeuble de bureaux pour y loger son siège social, à l'angle des rues Sainte-Catherine et Parthenais. De style Art déco, il est réalisé selon les plans des architectes Hutchison et Wood. Dans les années 1960, l'entreprise, en restructuration, change de nom pour Domco et déménage ses activités montréalaises à son usine de Farnham. Les anciennes installations de la compagnie sont démolies pour laisser place à Radio-Québec. Seul l'immeuble de l'ancien siège social est conservé et utilisé pour des bureaux. (GLG)

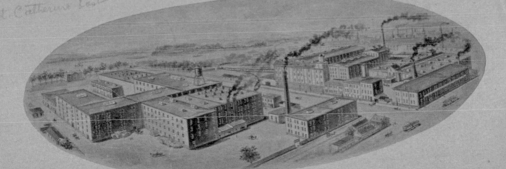

THE DOMINION OIL CLOTH CO. Limited

Fabricants de **PRELARTS** et **LINOLEUMS**, de diverses qualités, dans les dessins les plus nouveaux. Notre collection de **TAPIS CIRES POUR TABLES**. etc. Insistez pour avoir nos marchandises "Fabriquées au Canada." Vendues par tous les principaux marchands du pays.

BUREAUX ET ATELIERS - - - - - - MONTRE

L'INAUGURATION DU MÉTRO

Le 14 octobre 1966, une foule importante est massée rue Sainte-Catherine pour la cérémonie marquant l'entrée en service du métro.

s'adresse à une clientèle à l'aise. Celle-ci peut ainsi se libérer des contraintes et des coûts croissants associés à l'entretien d'une grande villa et de ses jardins. La nouvelle formule répond bien aux besoins des célibataires, des couples sans enfants, des veufs et des veuves. Dans l'entre-deux-guerres, elle se démocratise ; les bâtiments de ce type se multiplient et desservent des clientèles variées.

Dès le début du siècle, des immeubles d'appartements sont érigés dans le nouveau centre-ville. La rue Sainte-Catherine étant déjà fort achalandée, ils sont plutôt implantés dans les voies transversales ou encore rue Sherbrooke. Elle en attire tout de même quelques-uns, mais plus à l'ouest, surtout au-delà de la rue Saint-Mathieu et dans Westmount. Certains ont des dimensions substantielles : le Lennox compte 36 appartements et le Westmount Park en a 40.

À l'est du quartier Saint-Jacques, la fonction résidentielle de la rue conserve son importance traditionnelle. Les activités commerciales, omniprésentes, sont habituellement limitées au rez-de-chaussée des maisons dont les étages supérieurs sont loués à des familles.

LA RUE DES TRAMWAYS

En 1944, les tramways représentent le principal moyen de transport le long de la rue Sainte-Catherine (pages 110-111).

ACCÉDER AU CENTRE-VILLE

La multiplication des immeubles tout au long de son parcours accentue le rôle de la rue Sainte-Catherine comme voie de communication. Sa longueur même en fait l'un des grands axes reliant l'est et l'ouest de la métropole. Elle devient surtout la voie privilégiée permettant l'accès au nouveau centre-ville.

L'ARRIVÉE DU TRAMWAY

À une époque où la majorité des déplacements urbains se fait encore à pied, l'implantation du tramway électrique à Montréal, en 1892, représente tout un événement ! C'est le véritable lancement du transport collectif. Son prédécesseur, dont les voitures étaient tirées par des chevaux, fonctionnait depuis plus de 30 ans. Lent et coûteux, il n'était utilisé que par une minorité. Le nouveau système assure rapidité et efficacité, avec des horaires plus réguliers. L'électricité, circulant sur des fils aériens et captée par un trolley, fait tourner les moteurs et permet aussi de chauffer les wagons. On peut ainsi circuler confortablement en toute saison.

Les premières voitures ont les mêmes dimensions que celles du système précédent. On leur accroche même parfois un ancien véhicule conçu pour la traction hippomobile. Assez rapidement, toutefois, les wagons s'allongent et transportent un nombre accru de passagers. Le nouveau moyen de transport est si populaire qu'il entraîne une hausse marquée de la fréquentation. Cela amène la compagnie à ajouter de nouvelles lignes s'étendant dans toutes les directions. Des lignes de banlieue atteignent même des endroits aussi éloignés que Ahuntsic au nord ou le Bout-de-l'île à l'est. En 1892, le réseau montréalais transporte 11 millions de passagers, mais en 1914, c'est dix fois plus (107 millions). Le tramway est vraiment devenu un moyen de transport de masse.

Dès 1892, la rue Sainte-Catherine est l'une des premières à obtenir la conversion au tramway électrique. Le service, offert d'abord de la rue du Havre à l'avenue Greene, sera ensuite étendu aux deux extrémités, au fur et à mesure du prolongement de la voie. Le circuit principal, le n° 3, parcourt l'artère d'un bout à l'autre, mais la ligne la plus connue des Montréalais porte le n° 15. Elle dessert la zone la plus dense (entre la rue du Havre et l'avenue Atwater), notamment tous les grands magasins. Plusieurs autres lignes empruntent aussi la rue, au moins pour une partie de leur parcours. En 1924, une dizaine de lignes circulent sur la voie. Aux heures de pointe, les wagons de tramways se suivent à la queue leu leu.

LES LIGNES DE TRAMWAYS DE LA RUE SAINTE-CATHERINE EN 1924

La rue Sainte-Catherine est l'une des artères les plus achalandées de la ville. Des tramways en provenance de l'est, de l'ouest et du nord s'y croisent afin de transporter les foules de clients, de travailleurs et de promeneurs le long de la voie. La plupart des lignes qui y font la navette traversent le secteur commercial entre la rue De Bleury et l'avenue Atwater. Certaines permettent de faire la jonction avec les gares ferroviaires où aboutissent les trains de banlieue. À l'est, les trajets s'étendent jusqu'au bout de la voie, dans Maisonneuve, et même au-delà. Les tramways transportent aussi les voyageurs jusqu'à l'extrémité ouest de la rue, dans Westmount, ou au nord vers le chemin de la Reine-Marie ou la gare du Mile End. Il est même possible de faire une balade dans le char observatoire qui mène tant sur la montagne que dans le cœur animé de la rue Sainte-Catherine. (GLG)

RÉSEAU DE LA COMPAGNIE DES TRAMWAYS DE MONTRÉAL:

Les principales lignes qui empruntent la rue Sainte-Catherine en 1924 sont :

- *Ligne 3 Ste-Catherine*. Parcourt la rue Sainte-Catherine d'est en ouest entre la rue Viau et la rue Victoria (Westmount).

- *Ligne 4 Ste-Catherine – Dominion Park*. Relie le parc Dominion, dans l'est de l'île, à la rue Victoria.

- *Ligne 9 St-Denis – Windsor*. Relie la gare Windsor à la rue Marie-Anne et emprunte la rue Sainte-Catherine entre les rues Peel et Saint-Denis.

- *Ligne 15 Ste-Catherine* (ligne courte). Relie la rue du Havre à l'avenue Atwater.

- *Ligne 43 Park Avenue – Atwater*. Relie la gare du Mile End à l'avenue Atwater et emprunte la rue Sainte-Catherine entre la rue De Bleury et l'avenue Atwater.

- *Ligne 52 Mont-Royal – Atwater*. Relie l'avenue du Mont-Royal à l'avenue Atwater et emprunte la rue Sainte-Catherine entre la rue De Bleury et l'avenue Atwater.

- *Ligne 70 Windsor – Montreal West*. Relie la place d'Armes à l'avenue Westminster (Montréal-Ouest) et emprunte la rue Sainte-Catherine de la rue Peel à la rue Victoria.

- *Ligne 72 St-Denis – Frontenac*. Relie les rues Jarry et du Havre et emprunte la rue Sainte-Catherine entre les rues Saint-Denis et du Havre.

- *Ligne 83 Windsor – Snowdon*. Relie la place d'Armes à la rue Snowdon et emprunte la rue Sainte-Catherine entre les rues Peel et Victoria.

- *Ligne 99 Char observatoire*. Circuit parcourant la rue Sainte-Catherine entre les rues Peel et De Bleury.

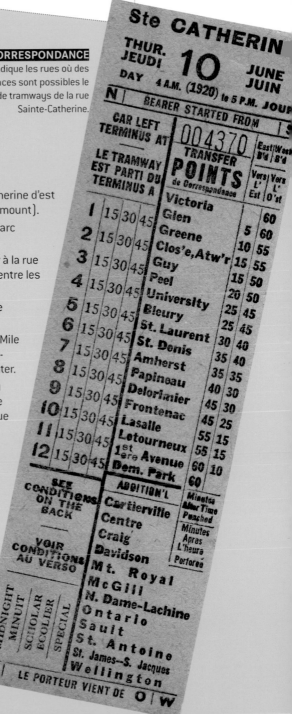

L'ENFOUISSEMENT DES FILS

Au début du xxe siècle, la Ville de Montréal cherche à résoudre les problèmes causés par la prolifération des poteaux et des fils des réseaux électriques, télégraphiques, téléphoniques et de tramways qui appartiennent à de nombreuses entreprises privées. En plus d'obstruer le paysage, ils sont une menace à la sécurité, notamment lors de l'intervention des pompiers. En 1910, la Ville met sur pied la Commission des services électriques (CSEM) afin de construire, d'entretenir et de gérer un réseau de conduits souterrains dans lesquels passeront les fils de toutes les entreprises. La première réalisation de la commission est précisément l'enfouissement des fils le long de la rue Sainte-Catherine, entre les avenues Atwater et Papineau, mené à bien de 1913 à 1915. Elle poursuit son travail dans les décennies suivantes, de sorte que tous les fils du centre-ville et du Vieux-Montréal sont enfouis en 1929. La CSEM prolonge ensuite son réseau au-delà du centre, dans les grandes artères. Les années 1960 et 1970 représentent une période faste avec la réalisation de grands projets et la croissance du réseau routier. Encore aujourd'hui, la Commission a la responsabilité du réseau souterrain. (GLG)

Pour les besoins du service, la rue est couverte de fils qui s'ajoutent à ceux du télégraphe, du téléphone et de la distribution d'électricité. Le nombre des fils s'accroît en fonction de la demande et, avec leurs poteaux de bois, ils créent une pollution visuelle importante et un encombrement urbain. La solution sera évidemment d'enfouir tous ces fils. La Commission des services électriques de Montréal, créée en 1910, obtient ce mandat et fait de la rue Sainte-Catherine sa priorité. En 1913, elle entreprend d'y enfouir les fils, entre les avenues Atwater et Papineau.

LA MONTÉE DE L'AUTOMOBILE

Le règne du tramway est peu à peu menacé par la montée de l'automobile. D'abord objet de luxe réservé aux plus riches, son usage s'élargit considérablement dans l'entre-deux-guerres. En 1910, on en recense moins de 500 sur le territoire de la Ville de Montréal, tandis qu'en 1928 il y en a plus de 55 000.

La popularité de l'auto accroît la pression pour l'amélioration des rues et des routes. Comme les autres villes d'Amérique du Nord, Montréal se convertit au pavage permanent recouvert d'asphalte. Des blocs de granit sont posés le long des rails des tramways pour faciliter leur réparation. Rue Sainte-Catherine, un tel revêtement est appliqué entre le boulevard Saint-Laurent et la rue Amherst en 1916. Pour la partie ouest, jusqu'à l'avenue Atwater, il faut attendre 1920.

Quant aux feux de circulation, la Ville commence à en installer en 1930, notamment à l'angle de la rue University. Pendant longtemps, on a surtout recours à des agents de police pour gérer le flot des véhicules.

L'accroissement du parc automobile pose aussi le problème du stationnement. Dès les années 1920, les promoteurs des nouveaux immeubles commencent à prévoir la construction d'espaces pour garer les voitures.

Après la Deuxième Guerre mondiale, le nombre d'autos augmente rapidement, ce qui rend la circulation au centre-ville de plus en plus difficile. Les automobilistes se plaignent de la présence des tramways qui, selon eux, ralentissent la circulation et rendent les dépassements difficiles. Les autorités, sensibles à ces pressions, décident d'éliminer les tramways des rues de Montréal et de les remplacer par des autobus. Pour la rue Sainte-Catherine, cela se fait le 5 septembre 1956.

UNE RUE ACHALANDÉE

« On a compté, de 9.30 A.M. à 5.30 P.M., au cours d'une journée du mois de juillet 1948, près de 73,000 piétons traversant l'intersection des rues Peel et Sainte-Catherine, alors que 20,000 véhicules, circulant au même endroit et durant le même temps, transportaient environ 55,000 voyageurs. Cette même journée, encore de 9.30 A.M. à 5.30 P.M., on a observé plus de 40,000 personnes entrées et sorties d'un grand magasin à rayon situé à proximité de cette intersection. »

Rapport du Service d'urbanisme de la Ville de Montréal en 1949 sur l'achalandage

En outre, la Ville entreprend d'élargir la rue Dorchester (aujourd'hui René-Lévesque) pour la transformer en un grand boulevard à fort volume de circulation. Ces travaux sont complétés en 1955. Cela permet de soulager un peu la rue Sainte-Catherine, mais ce n'est pas suffisant. Dans la décennie suivante, les autorités municipales privilégient le recours aux sens uniques pour accroître la fluidité de la circulation. La rue Sainte-Catherine devient ainsi à sens unique vers l'est le 15 septembre 1966. La circulation dans l'autre sens est orientée vers le nouveau boulevard De Maisonneuve, résultat de la fusion et de l'élargissement de voies plus anciennes, qui est inauguré la même année.

PUIS VIENT LE MÉTRO

Toutes ces mesures ne permettent toutefois pas de résoudre le problème que pose le transport quotidien de dizaines de milliers d'employés en direction et au retour du centre-ville. Les autobus sont surchargés et la solution passe, comme dans beaucoup d'autres grandes villes, par la construction d'un métro. On en discute depuis longtemps, mais le projet

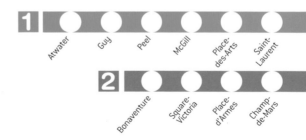

n'avance pas. À
peine élu à la mairie de
Montréal, en 1960, Jean Drapeau en fait l'une de
ses priorités. Dès 1961, une équipe de fonctionnaires
municipaux travaille à la planification, et la mise en chantier s'amorce l'année suivante. Le métro est inauguré en 1966.

Il est remarquable de constater que la rue Sainte-Catherine forme un des axes clés de ce nouveau système. La ligne n° 1 (la ligne verte), ponctuée de dix stations, en suit le parcours, de la rue Frontenac à l'avenue Atwater. Afin d'éviter de perturber pour une longue période les activités commerciales de la rue, on a cependant choisi de construire le tunnel à l'arrière, sous le futur boulevard De Maisonneuve. Montréal tire ainsi une leçon de l'expérience désastreuse de Toronto où, quelques années auparavant, la construction du métro avait entraîné une fermeture prolongée de la rue Yonge.

UN LIEU RASSEMBLEUR

La centralité de la rue Sainte-Catherine s'exprime de multiples façons. Au cours du xxᵉ siècle, les Montréalais en font un de leurs lieux de prédilection quand vient le temps de manifester publiquement leur joie ou leur colère.

De nombreux défilés l'empruntent dans leur parcours. C'est évidemment le cas pour ceux du Père Noël, mais aussi pour la célébration de fêtes patriotiques, telle la Saint-Patrick. On peut y voir passer des processions religieuses, notamment pour la Fête-Dieu. Des organisations

LE PLAN DU RÉSEAU EN 1966
La ligne verte dessert la rue Sainte-Catherine sur plusieurs kilomètres. On lui attribue d'ailleurs le numéro 1, signe de son importance.

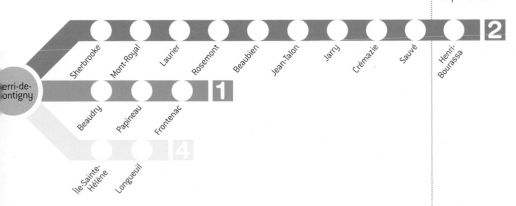

Sherbrooke · Mont-Royal · Laurier · Rosemont · Beaubien · Jean-Talon · Jarry · Crémazie · Sauvé · Henri-Bourassa · **2**

Henri-de-Montigny · Beaudry · Papineau · Frontenac · **1**

Île-Sainte-Hélène · Longueuil · **4**

syndicales y célèbrent la fête du Travail ou y manifestent leur appui à des grévistes. Les troupes de cirque en tournée y font parader leurs animaux et leurs voitures lors de leur arrivée en ville.

À l'été 1939, les Montréalais y viennent nombreux pour acclamer le couple royal britannique, en visite au Canada. Le 7 mai 1945, jour de l'annonce de la fin de la Deuxième Guerre mondiale, c'est encore là que les Montréalais se dirigent spontanément pour fêter la victoire. William Weintraub se rappelle très bien que le coin des rues Peel et Sainte-Catherine est alors au cœur de l'action, malgré la fermeture des magasins et surtout des débits d'alcool décrétée par le gouvernement Duplessis. Les photos de l'époque montrent la rue complètement envahie par la foule en liesse.

La rue est aussi le témoin des victoires et des défaites du club de hockey Canadien. C'est là que les joueurs de l'équipe défilent après leurs conquêtes de la coupe Stanley. C'est là que les partisans s'expriment.

Les étudiants aussi n'hésitent pas à l'emprunter pour leurs défilés et leurs manifestations. Ce phénomène s'accentue dans le climat parfois survolté des années 1960.

LA VICTOIRE DU NOUVEAU CENTRE-VILLE

Pendant une quinzaine d'années, avec la crise puis la Deuxième Guerre mondiale, le développement du centre-ville de Montréal est complètement arrêté. Les choses changent dans l'après-guerre, alors que la métropole connaît une forte croissance économique et démographique. De nouveaux immeubles s'ajoutent graduellement, mais les grands projets mobilisateurs ne sont mis en chantier que dans la seconde moitié des années 1950.

LA COURSE À LA MODERNITÉ

L'après-guerre sonne le début de la fin du Golden Square Mile en tant que quartier résidentiel de la haute bourgeoisie. Au cours des décennies précédentes, une partie de cette clientèle avait migré plus à l'ouest, du côté de Westmount, et le mouvement se poursuit. D'autres étaient restés dans le quartier, mais en choisissant des immeubles d'appartements. Certains s'accrochent, comme le sénateur Hartland de Montarville Molson qui conserve sa résidence de la rue Redpath. De plus en plus cependant, les belles grandes maisons bourgeoises

LA CÉLÉBRATION DE LA VICTOIRE
En 1945, la foule en liesse se presse rue Sainte-Catherine pour le défilé célébrant la victoire des Alliés en Europe.

— dont les valeurs foncières, et donc les taxes, sont devenues très élevées — sont converties à d'autres usages. Elles abritent des boutiques, des galeries d'art ou des restaurants, des consulats ou des bureaux de professionnels, et même des services de l'Université McGill. Souvent perçues comme vieilles, démodées, plusieurs tombent sous le pic du démolisseur parce que l'expansion du centre-ville rend plus rentable l'érection d'immeubles en hauteur.

Même si Toronto gagne du terrain dans l'après-guerre, Montréal abrite toujours le siège social de plusieurs grandes entreprises canadiennes. Celles-ci sont en expansion rapide et ont besoin d'un personnel administratif nombreux pour gérer leurs activités, qui souvent s'étendent à l'échelle du pays et parfois à l'international. Par ricochet, la demande s'accroît pour les services des avocats, des comptables et autres spécialistes dont les cabinets se développent. La demande d'espaces de bureaux au centre-ville devient ainsi beaucoup plus forte et il faut construire de nouveaux immeubles pour la satisfaire.

Comme à chaque époque, les promoteurs veulent être à la mode du jour et offrir aux locataires pressentis le nec plus ultra du modernisme. À la fin des années 1950, cela signifie choisir les canons stylistiques de l'architecture moderne. On exige la climatisation des édifices et l'utilisation d'ascenseurs plus nombreux et plus rapides, au fonctionnement automatisé. La présence de boutiques intérieures devient un atout apprécié. Il faut aussi prévoir de plus vastes stationnements souterrains, car l'automobile est devenue reine.

UNE AUTRE ÉCHELLE

L'accès au centre-ville en auto est d'ailleurs facilité par l'aménagement du boulevard Dorchester, parallèle à la rue Sainte-Catherine au sud. Ce grand boulevard prend des allures prestigieuses et incite plusieurs promoteurs à choisir ses abords pour y réaliser leurs projets.

Depuis 1950, la Ville de Montréal a modifié son règlement et autorise la construction de tours de bureaux plus hautes à la condition qu'elles ne dépassent pas la hauteur du mont Royal, ce qui signifie une quarantaine d'étages. Les conditions sont donc réunies pour permettre l'érection de gratte-ciel nettement plus hauts que ceux des années 1920.

Plusieurs tours de bureaux sont construites le long du boulevard Dorchester au début des années 1960. L'immeuble-phare est la tour

LA PLACE VILLE MARIE, SYMBOLE DE MODERNITÉ

Le plus ambitieux projet immobilier réalisé à Montréal au début des années 1960 est sans conteste la Place Ville Marie, qui devient un symbole par excellence de la modernité dans la ville. Construite à quelques pas de la rue Sainte-Catherine, elle est visible de celle-ci par l'avenue McGill College.

Cet ensemble est surtout connu pour sa tour cruciforme de 43 étages, inaugurée en 1962 et perçue comme un des immeubles-phares de Montréal et l'un des plus beaux exemples de l'architecture moderne dans la métropole québécoise. Il comprend aussi trois autres édifices, moins élevés, construits entre 1963 et 1965, qui délimitent une vaste place centrale. En plus des espaces de bureaux, qui peuvent accueillir jusqu'à 10 000 personnes, un vaste stationnement souterrain de 1500 places est aménagé.

Un des principaux attraits de la Place Ville Marie est sa galerie marchande intérieure qui, au début, compte 70 boutiques, sept restaurants et deux salles de cinéma. Un tunnel percé sous le boulevard Dorchester (aujourd'hui René-Lévesque) permet de relier le complexe à la Gare centrale et à l'hôtel Reine-Élizabeth. C'est le point de départ de la ville souterraine qui deviendra une des caractéristiques du centre-ville montréalais.

Le complexe est conçu et réalisé par le promoteur new-yorkais William Zeckendorf, de Webb & Knapp (Canada). Les plans sont l'œuvre de l'agence américaine I. M. Pei et associés et de l'un de ses architectes, Henry N. Cobb, appuyés par le cabinet montréalais Affleck, Desbarats, Dimakopoulos, Lebensold, Michaud et Sise. (CSL)

LA TOUR CRUCIFORME DE PLACE VILLE MARIE

En 1961, l'érection de la structure de la tour est presque terminée. L'agence new-yorkaise I. M. Pei et associés a conçu les plans du complexe.

cruciforme du complexe Place Ville Marie, devenue le symbole du Montréal moderne. Il n'est pas le seul. Celui de la Banque de Commerce rivalise en hauteur avec lui. Le siège social de la compagnie CIL et, un peu plus à l'est, celui d'Hydro-Québec contribuent aussi à donner le ton.

Tout au cours de cette décennie, le boulevard Dorchester devient donc l'artère de référence du nouveau centre-ville, laissant dans l'ombre la rue Sainte-Catherine. L'aménagement du boulevard De Maisonneuve, complété en 1966, ouvre une autre fenêtre prestigieuse, mais la construction de tours de bureaux s'y fera surtout dans les décennies suivantes.

Ces nouveaux développements signent l'arrêt de mort du vieux centre-ville. Les sièges sociaux et les cabinets de service qui logeaient encore dans le Vieux-Montréal déménagent en masse dans les bureaux plus fonctionnels et modernes des nouvelles tours. Le processus de migration amorcé au début du siècle est ainsi complété.

UNE VOIE DE SERVICE

La rue Sainte-Catherine ne participe guère à ces nouveaux développements. On n'y construit pas de nouvelles tours de bureaux dans les années 1960, sauf à la fin de la décennie, avec le complexe Westmount Square. La seule intervention immobilière marquante est la construction de la Place des Arts, dont il sera question au prochain chapitre.

Au regard des Montréalais, la rue Sainte-Catherine des années 1960 n'apparaît pas tellement différente de ce qu'elle était 10 ou 15 ans auparavant. Elle reste un lieu où l'on vient magasiner et se divertir. Le commerce de détail y profite de l'afflux de milliers de nouveaux employés dans les tours des environs, mais il subit la concurrence croissante des galeries de boutiques intérieures.

Sur un plan, cependant, le visage de la rue se modifie. Encore au début des années 1960, l'affichage extérieur, dans l'ouest, est surtout unilingue anglais. Avec la Révolution tranquille et le nouveau nationalisme québécois, une telle situation devient intenable et le bilinguisme s'installe de plus en plus.

Pendant cette période, l'échelle du centre-ville s'est donc modifiée non seulement à la verticale, mais aussi à l'horizontale. La géographie du centre a changé et d'autres rues sont devenues des pôles de développement. La rue Sainte-Catherine paraît à l'écart de ces développements, même si elle en profite. Longtemps le cœur du centre-ville, elle semble être devenue sa voie de service.

CHAPITRE 4

UN HAUT LIEU
DU DIVERTISSEMENT

Tout comme le magasinage, le divertissement devient une image de marque de la rue Sainte-Catherine pendant sa période d'âge d'or, entre la fin du XIXe siècle et les années 1960. Le calme du quartier résidentiel cède la place à une fébrile animation nocturne. Dans les nombreuses salles qui parsèment la grande artère, les Montréalais peuvent assister à des concerts, du théâtre, du vaudeville et, de plus en plus, du cinéma. Ils viennent pour boire et pour manger, entendre de la musique et du chant et même voir des effeuilleuses. De plus, dans ses amphithéâtres, la rue leur offre un autre type de spectacle, le sport amateur et professionnel, notamment avec le club de hockey Canadien.

LA MAGIE DE LA SCÈNE

Comme dans bien d'autres domaines, l'activité culturelle se déroule depuis longtemps dans le Vieux-Montréal, mais au début du XXe siècle, elle est solidement établie dans le nouveau centre. La majorité des salles de spectacle se retrouvent alors le long de deux artères, le boulevard Saint-Laurent et la rue Sainte-Catherine.

La polyvalence des salles est frappante. Leurs propriétaires pratiquent allègrement le mélange des genres et présentent tantôt un

concert ou un récital, tantôt une pièce de théâtre, puis des films quand ce nouveau média devient populaire, et parfois un pot-pourri de tout cela. Certaines salles connaissent plusieurs existences, sous des noms distincts. Ailleurs, un même terrain peut voir s'ériger plusieurs salles successives.

AUX PREMIÈRES LOGES

Sur le plan artistique, le Canada reste une société périphérique à la fin du XIXe siècle. Il compte encore peu de créateurs et d'interprètes et dépend surtout de la production issue des États-Unis, de Grande-Bretagne ou de France. Les Montréalais peuvent assister à de nombreuses performances artistiques, mais les troupes de théâtre et les ensembles musicaux qui s'y produisent viennent surtout de l'étranger. Ils s'arrêtent à Montréal, le temps d'une ou de quelques représentations, dans le cadre de tournées dans plusieurs villes. Leur répertoire, tout comme leurs interprètes, est européen ou américain.

Un début d'affirmation nationale se manifeste tout de même au tournant du XXe siècle. On joue quelques œuvres de compositeurs canadiens. Des musiciens et des acteurs du Québec se produisent devant le public montréalais. Les orchestres ou les troupes qui les emploient sont des établissements fragiles dont l'existence ne dépasse guère une ou deux saisons, malgré quelques exceptions.

Quant aux tournées, elles sont organisées par des promoteurs américains pour qui Montréal n'est qu'une étape dans un circuit couvrant les grandes villes des États-Unis et du Canada. Ils signent des contrats avec des artistes, orchestres ou troupes venus d'Europe ou avec des ensembles américains. Même la grande actrice française Sarah Bernhardt, venue à Montréal à plusieurs reprises, s'y produit dans le cadre de tournées organisées par des agents américains.

Où sont donc présentés ces spectacles ? L'une des plus importantes salles est le Queen's Hall, érigé en 1880. Situé à l'angle des rues Sainte-Catherine et Victoria, il compte 1159 places. D'abord dédié à la musique, il devient un théâtre à partir de 1891. La célèbre cantatrice Emma Albani (Emma Lajeunesse) y donne des concerts en 1883, lors de la tournée qui marque son retour au pays, puis en 1889. L'orchestre de la Montreal Philarmonic Society, sous la direction de Guillaume Couture, s'y produit tout au long de cette décennie. Le Queen's Hall est détruit par un incendie en 1899.

Située tout juste derrière, rue Victoria, l'Académie de Musique dispose de 2100 places. Inauguré en 1875, son immeuble sera démoli en 1910. C'est la grande salle de concerts de Montréal, mais on y présente aussi du théâtre. Albani y joue dans des opéras en 1890 et 1892.

À l'instar de l'Académie de Musique, plusieurs salles de l'époque sont situées aux abords de la rue Sainte-Catherine, plutôt que le long de la voie elle-même. Ainsi, juste au sud, rue Peel, la salle Windsor, dans l'hôtel du même nom, peut accueillir 1300 spectateurs. Entre 1890 et 1906, elle joue un rôle clé dans la vie musicale montréalaise, hébergeant la Montreal Symphony Society et le premier Orchestre symphonique de Montréal, en plus de recevoir de réputés musiciens et orchestres étrangers.

Rue Guy, juste au nord de Sainte-Catherine, le théâtre Her Majesty's (il devient His Majesty's quand un roi, plutôt qu'une reine, est à la tête du pays) ouvre ses portes en 1898. Pendant 65 ans, cette salle réputée, comptant 1750 places, présente notamment plusieurs opéras, des pièces de théâtre, mais aussi des concerts de toutes sortes et d'autres types de spectacles. L'immeuble est démoli en 1963.

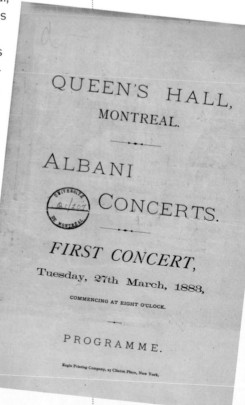

D'une longévité encore plus grande, le Monument-National est érigé par la Société Saint-Jean-Baptiste, boulevard Saint-Laurent, au sud de la rue Sainte-Catherine. Sa salle de spectacle de 1400 places, inaugurée en 1893, joue un rôle central dans la vie culturelle de la communauté francophone et de la communauté juive. Elle est louée à diverses organisations qui y présentent surtout du théâtre, mais aussi des concerts et des conférences publiques.

Revenons à la rue Sainte-Catherine. Des salles consacrées au théâtre populaire et au vaudeville y ont une longue carrière. Le Français, installé dès 1884 près de la rue Saint-Dominique, en est un bon exemple. Malgré son nom, il ne présente que des spectacles en anglais. C'est aussi le cas du Bennett, à l'angle de la rue City Councillors. Inauguré en 1907, il prend le nom d'Orpheum trois ans plus tard. De biais avec celui-ci, de l'autre côté de la voie, le Princess ouvre ses portes en 1908 ; son immeuble est incendié en 1915 et sera reconstruit. Un peu plus à l'est, angle Saint-Urbain, le Gayety accueille ses premiers spectateurs en 1912 et, sous divers noms, occupera une place considérable dans l'histoire du théâtre québécois.

En outre, les grandes patinoires intérieures — le Victoria Skating Rink, l'aréna de Westmount et le Forum — se transforment aussi en salles de spectacle à l'occasion.

DU THÉÂTRE EN FRANÇAIS

L'historien du théâtre Jean-Marc Larrue a recensé 11 324 représentations théâtrales en tous genres offertes aux Montréalais entre 1890 et 1899. De ce nombre, moins de 2000 sont en français, tandis que l'anglais accapare 82 % de tous les spectacles. Cela étonne dans une ville qui compte 61 % de francophones. Aux yeux de plusieurs, les produits culturels contribuent à l'anglicisation de ces derniers. La prédominance de l'anglais se maintient d'ailleurs pendant les premières décennies du XXe siècle.

Cette situation résulte de l'emprise des promoteurs américains sur les circuits des spectacles. Les troupes en tournée à Montréal sont principalement américaines. Elles présentent des œuvres populaires — drames, comédies, vaudevilles — conçues aux États-Unis. Celles-ci, dont on vante les succès remportés à Broadway, sont annoncées dans les journaux francophones. Le roulement est continuel, puisque chacune ne reste à l'affiche que quelques jours, le programme des salles changeant chaque semaine. La rentabilité de l'opération vient de la capacité de présenter successivement la même pièce dans plusieurs villes.

Le théâtre en français, de son côté, souffre de problèmes d'organisation. Les troupes francophones sont sous-financées et leur potentiel de tournées est limité. Les acteurs doivent jouer une œuvre différente chaque semaine, ce qui entraîne un essoufflement. Malgré ces difficultés, on assiste à un essor du théâtre en français à Montréal dans la quinzaine d'années qui précèdent la Première Guerre mondiale.

La rue Sainte-Catherine, dans sa partie est, est aux premières loges de cette renaissance francophone. Dès 1898, une troupe professionnelle francophone s'installe près de l'avenue Papineau et fonde le Théâtre des Variétés. Malgré sa brève existence (moins de deux ans) celui-ci a, selon Jean-Marc Larrue, un impact considérable, montant 42 œuvres et offrant 289 représentations. Ses comédiens se retrouvent bientôt au National, qui ouvre ses portes en 1900, entre les rues Montcalm et Beaudry. La direction de la nouvelle salle favorise un

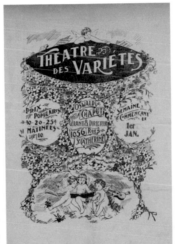

LE OUIMETOSCOPE
Lors de son inauguration, en 1906
(pages 132-133).

théâtre à grand déploiement, présentant des traductions françaises d'adaptations américaines d'œuvres européennes. Deux ans plus tard, le Théâtre des Nouveautés s'installe à l'angle de la rue Cadieux (devenue De Bullion) et choisit le répertoire français de boulevard. En 1912, l'ancien cinéma Nationoscope, angle Saint-André, devient le Théâtre Canadien français.

Dans la majorité des cas, la direction artistique et les rôles-titres sont confiés à des acteurs français tandis que les Québécois doivent se contenter des rôles secondaires. Certains de ces migrants s'installent en permanence à Montréal, mais la plupart rentrent en France, surtout quand le déclenchement de la Première Guerre mondiale les appelle sous les drapeaux. Cette saignée met fin à « l'âge d'or » du théâtre francophone qui doit en outre, tout comme son pendant anglophone, composer avec la popularité croissante du cinéma.

AUX SOURCES DU CINÉMA

ERNEST OUIMET
Le pionnier du cinéma au Québec et sa caméra.

L'histoire du cinéma à Montréal commence avec la première projection réalisée au Canada, le 27 juin 1896. Le nouveau média met quelques années avant de s'imposer. Les films sont présentés dans les salles de spectacle déjà existantes et viennent simplement compléter l'offre de divertissement : pour meubler le temps pendant les entractes, ou encore le dimanche, quand l'activité théâtrale est interdite.

Ernest Ouimet, l'un des pionniers du cinéma au Québec, est le premier à ouvrir un établissement exclusivement consacré au 7e art, en 1906. Son Ouimetoscope occupe une ancienne salle de spectacle à l'angle des rues Sainte-Catherine et Montcalm. Son initiative connaît un succès instantané et incite de nombreux autres entrepreneurs à l'imiter un peu partout dans la ville.

L'INCENDIE DU LAURIER PALACE

Le cinéma Laurier Palace ouvre ses portes en 1912 rue Sainte-Catherine, entre les rues Dézéry et Préfontaine. Ce cinéma, qui anime la vie du quartier Hochelaga durant 15 années, est tristement célèbre pour l'incendie qui y survient le dimanche 9 janvier 1927 et qui entraîne le décès de 78 enfants. Ce jour-là, les spectateurs viennent en grand nombre assister à la représentation. Les enfants, particulièrement friands de ce divertissement, s'y pressent. La plupart s'installent au balcon, où les places sont moins dispendieuses. La salle est alors pleine à craquer, on retrouve même des gens dans les allées et à l'arrière. Lorsque l'incendie se déclare, probablement provoqué par une cigarette ou une allumette, c'est la cohue. Les enfants, entassés au balcon, tentent de s'enfuir, mais ils se bousculent et terminent leur course en empilade au bas de l'escalier. Soixante-dix-huit d'entre eux meurent piétinés ou asphyxiés. Une commission d'enquête est mise sur pied après l'accident et on recommande de renforcer la sécurité dans les salles de cinéma. Le gouvernement du Québec adopte par la suite une loi pour interdire l'entrée aux enfants de moins de 16 ans, même s'ils sont accompagnés. Cette mesure demeurera en vigueur durant 40 ans. (GLG)

APRÈS LA TRAGÉDIE
Le balcon incendié du Laurier Palace.

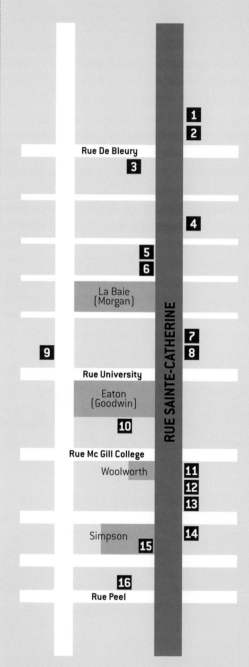

Rue De Bleury

1 **3**

2

4

5

6

La Baie (Morgan)

RUE SAINTE-CATHERINE

7

8

9

Rue University

Eaton (Goodwin)

10

Rue Mc Gill College

Woolworth

11

12

13

Simpson

14

15

16

Rue Peel

1. **Alouette / Eden / Carrefour** (1952-vers 1978)

2. **Cameraphone / Tivoli** (vers 1908-vers 1923)

3. **Impérial / Ciné-Centre** (1913 à aujourd'hui)

4. **Princess** (1908-1916) **Nouveau Princess / Parisien** (1917-1974) **Parisien Cinq** (1975-2007)

5. **Bennett / Orpheum** (1907-vers 1966)

6. **London / Holman / System / Ciné 539** (vers 1909-vers 1987)

7. **Colonial / Connaught / Regal / Roxy / Victory / Cinéma de Paris** (vers 1914-vers 1952)

8. **Allen / Palace** (1921-1980) **Palace Six** (1981-2000)

9. **Cineplex Université / Centre-ville** (1981-1999)

10. **Centre Eaton** (1990-2005)

11. **Capitol** (1921-1973)

12. **Cinéma de Paris** (1968-vers 1994)

13. **Strand / Pigalle** (1912-vers 1976)

14. **Loew's** (1917-1976) **Loew's Five** (1976-1999)

15. **Paramount** (1999-2007) **Cinéma Banque Scotia** (2007 à aujourd'hui)

16. **Égyptien** (1987-2001)

Son concurrent le plus rapproché est Georges Gauvreau, qui fait ériger en 1907, angle Saint-André, un grand cinéma, le Nationoscope. Ouimet lui réplique en faisant reconstruire et agrandir son propre établissement, le dotant d'une salle de 1200 places et d'un décor plus luxueux. Un peu plus à l'est, angle Amherst, l'Electra ouvre ses portes en 1913. Dans Hochelaga, le Laurier Palace est en activité dès 1912.

Rue Sainte-Catherine Ouest, la situation est moins claire et le mélange des genres est plus prononcé. Il faut dire qu'à l'époque du cinéma muet, les propriétaires de salle doivent embaucher un pianiste ou un petit orchestre pour fournir une trame sonore et un bonimenteur pour expliquer les scènes. Ils doivent aussi, pendant les nombreux changements de bobines, divertir les spectateurs avec d'autres performances. Les salles consacrées au cinéma présentent donc un spectacle varié.

Par ailleurs, l'essor initial du cinéma coïncide avec la montée en popularité du vaudeville américain. Les représentations sont composées d'une succession de numéros et on y insère peu à peu des films muets. Il faudra plusieurs années avant que les salles consacrées au vaudeville se convertissent entièrement au cinéma. Ceci explique que la plupart des salles de cinéma de l'ouest de la ville soient d'abord aménagées comme théâtres de vaudeville. En plus de l'Orpheum et du Princess, on voit apparaître le Cameraphone en 1908 (devenu le Tivoli quatre ans plus tard), le Gaiety/London et le Lyric Hall en 1909, le Strand et le Colonial en 1912. Tout près, rue De Bleury, l'Impérial (1913) préfigure les grands palaces de la décennie suivante.

DES PALACES MAGNIFIQUES

Jusqu'à la Première Guerre mondiale, le programme des cinémas est composé de courts métrages projetés l'un à la suite de l'autre. Les premiers longs métrages, venus d'Europe, apparaissent vers 1912. Ils remportent un succès instantané, mais la source transatlantique se tarit pendant la guerre. Hollywood prend alors la relève et le cinéma américain s'impose désormais sur les écrans montréalais.

L'arrivée du long métrage s'accompagne d'une mise en marché plus dynamique qui nourrit le *star-system*. La popularité croissante du cinéma entraîne une hausse marquée de la fréquentation. Il faut des salles plus nombreuses et plus grandes. On veut aussi éblouir le spectateur par une décoration somptueuse et faire de sa visite une expérience inoubliable.

En quelques années à peine, plusieurs grands *movie palaces*, pouvant accueillir chacun plus de 2000 spectateurs, sont érigés rue Sainte-Catherine Ouest. Dotés d'une scène, ils peuvent aussi offrir du vaudeville et d'autres types de spectacles. Sur ce plan, l'avènement du cinéma parlant, à partir de 1928, bouleverse tout. Les artistes de vaudeville et les musiciens disparaissent rapidement et, désormais, les salles ne présentent que du cinéma.

Le premier de ces nouveaux immeubles est le Princess, reconstruit en 1917 à l'emplacement du théâtre du même nom détruit par un incendie. Comptant 2000 places, il deviendra le Parisien dans les années 1960. Aussi, en 1917, la chaîne américaine Loew's ouvre, angle Mansfield, un théâtre de 3000 sièges, le plus grand jamais construit jusque-là. Ce luxueux palace jouera un rôle important dans la vie culturelle anglo-montréalaise.

Deux autres monuments à la gloire du cinéma viennent compléter la nouvelle offre de la rue Sainte-Catherine en 1921. À l'angle de l'avenue McGill College, le Capitol est, selon le journaliste Dane Lanken, le plus remarquable construit à Montréal, tant pour sa beauté que pour son caractère grandiose. C'est aussi l'un des plus vastes, avec ses 2600 sièges. Quelques portes plus loin vers l'est, la famille torontoise Allen fait construire

EMMANUEL BRIFFA ET LA DÉCORATION DES PALACES

La popularité croissante du cinéma, au début du xxᵉ siècle, attire les foules, ce qui entraîne la construction de salles plus vastes à partir de 1912. Elles sont conçues pour accueillir un grand nombre de spectateurs – jusqu'à 3000 personnes – mais également pour les éblouir. Les entrepreneurs font donc aménager des cinémas imposants caractérisés par une architecture élaborée ainsi qu'une décoration intérieure des plus recherchées afin de faire vivre au public une expérience hors du commun. À cette époque, plusieurs décorateurs se spécialisent dans l'ornementation des salles. L'un des plus connus est Emmanuel Briffa (1875-1955). Originaire de Malte, il s'établit aux États-Unis au début du siècle. Briffa connaît un vif succès au cours de la période de construction des *movie palaces*, entre 1912 et les années 1930. Il travaille autant aux États-Unis que dans les Maritimes, dans l'ouest du Canada et au Québec. Il laisse plus particulièrement sa marque à Montréal avec la conception de décors et de fresques pour plusieurs dizaines de théâtres. Parmi ses réalisations, on retrouve les cinémas Impérial (1913), Loew's (1917), Princess (1917), Palace (1921), Séville (1929) et Granada (1930). (GLG)

LA LOGE DU GRANADA
Emmanuel Briffa signe la décoration de ce cinéma.

LA VENDEUSE DE BONBONS
En 1931, elle est au poste derrière son comptoir, au cinéma Princess.

une salle de 2600 places, richement décorée, qui porte d'abord son nom, puis devient le Palace en 1923.

Ainsi, en cinq ans à peine, ces quatre nouveaux palaces renforcent le rôle de la rue Sainte-Catherine au cœur de l'activité cinématographique montréalaise. Là sont présentés en premier lieu les nouveaux longs métrages que Hollywood produit à la chaîne. Au cours des années suivantes, la construction de nouvelles salles de cinéma est orientée vers d'autres quartiers de la ville, mais quelques additions sont faites rue Sainte-Catherine.

Dans l'est, le Amherst, dans l'immeuble industriel du même nom, remplace en 1926 l'ancien Moulin Rouge. Dans Maisonneuve, face au parc Morgan, le Granada ouvre ses portes en 1930. Il se distingue par sa décoration exceptionnelle, œuvre d'Emmanuel Briffa. L'un et l'autre visent la clientèle francophone, prédominante dans ces deux parties de la ville. Dans l'ouest s'ajoutent le Séville en 1929 et le York en 1938, tous deux destinés aux projections en anglais.

LES VARIÉTÉS : DU VAUDEVILLE AU BURLESQUE

Au cours des trois premières décennies du siècle, le vaudeville est très présent sur les scènes montréalaises. Les représentations sont un assemblage de diverses performances : chant, danse, humour, acrobatie, etc. Elles visent simplement à divertir le public et connaissent un grand succès populaire. À Montréal, les spectacles sont présentés uniquement en anglais par des troupes professionnelles américaines en tournée. Comme nous l'avons vu, l'arrivée du cinéma parlant signe l'arrêt de mort du vaudeville.

Dans l'entre-deux-guerres, le burlesque, un genre dérivé du vaudeville, gagne en popularité au Québec. Originaire des États-Unis, il présente lui aussi des assemblages de numéros variés, avec une place importante accordée au *strip-tease* (généralement remplacé par une « ligne » de danseuses au Québec). L'essentiel du spectacle est toutefois composé de chansons, de sketchs comiques ou satiriques et de courts mélodrames. D'abord présentés en anglais par des acteurs américains, les spectacles de burlesque se québécisent rapidement au cours des années 1920 et le français y prend peu à peu toute la place. Cela explique sans doute la popularité dont ce genre jouit auprès du grand public francophone jusqu'au début des années 1950. Il nourrit la carrière d'artistes célèbres tels Olivier Guimond père et fils, Jean Grimaldi, Rose Ouellette et Juliette Pétrie.

La rue Sainte-Catherine Est rassemble plusieurs des hauts lieux du burlesque québécois. Selon Chantal Hébert, auteure d'un livre sur le sujet, les théâtres National, Canadien, Amherst, Casino et Arcade présentent de nombreux spectacles du genre. À l'ouest du boulevard Saint-Laurent, on peut aussi en voir au Princess et surtout au Gayety, qui deviendra le Mayfair, puis le Radio City.

LES FOLLES NUITS DE MONTRÉAL

L'offre de divertissement ne se limite pas aux théâtres et aux cinémas. Les bars, les cabarets, les restaurants et bien d'autres établissements attirent une forte clientèle. La prohibition américaine aidant, Montréal devient célèbre pour l'animation de sa vie nocturne, particulièrement intense dans l'entre-deux-guerres et l'après-guerre.

UNE ARTÈRE ANIMÉE

Les personnes qui fréquentent la rue, de façon quotidienne ou occasionnelle, doivent se sustenter. Pour répondre à ce besoin, les restaurants se multiplient à partir des années 1920. Leur clientèle varie selon l'heure. Le midi, il faut servir rapidement des repas peu coûteux aux employés de bureaux et aux consommateurs qui parcourent les magasins. Le soir, les gens qui fréquentent les lieux sont plus enclins à festoyer.

L'annuaire Lovell de 1928-1929 identifie 66 restaurants rue Sainte-Catherine, dont 24 dans l'ouest et 42 dans l'est. Certains qui s'affichent sous l'étiquette *quick lunch* ne sont sans doute que de petits comptoirs, tandis que d'autres jouissent d'une grande renommée. C'est le cas de

Kerhulu et Odiau, fondé par des immigrants français, dont les quatre établissements (un est situé rue Sainte-Catherine Ouest) allient pâtisserie et restaurant. De leur côté, les frères Geracimo ont déjà accroché leur enseigne près de la rue Saint-Denis et elle y restera plusieurs décennies. Plus à l'ouest, Myer Dunn accueille les amateurs de smoked meat à partir de 1927. Les chaînes de restaurants sont une nouveauté de cette période. Celle de North Eastern Lunch Co. a cinq de ses six points de vente le long de la rue. Avec le même nombre de succursales, Murray a une implantation plus dispersée, mais deux sont rue Sainte-Catherine et une au square Phillips. On trouve aussi des comptoirs de restauration dans les chaînes de magasins — chez Woolworth, par exemple —, et des salles à dîner dans les grands magasins.

En 1960, le nombre de restaurants de la rue a plus que doublé, à 156, répartis presque également entre l'est et l'ouest. Geracimo et Dunn sont toujours là. La chaîne Murray, en expansion, y compte quatre de ses dix succursales. Plusieurs établissements témoignent de la popularité nouvelle du poulet à la broche, dont Au poulet doré et Chalet BBQ.

LE CAFÉ ROYAL
Le personnel de ce restaurant fréquenté, situé près de la rue De Bullion.

SAMEDI SOIR, RUE SAINTE-CATHERINE

« Et soudain, elle évoqua la rue Sainte-Catherine, les vitrines des grands magasins, la foule élégante du samedi soir, les étalages des fleuristes, les restaurants avec leurs portes à tambours et leurs tables dressées presque sur le trottoir derrière les baies miroitantes, l'entrée lumineuse des théâtres, leurs allées qui s'enfoncent au-delà de la tour vitrée de la caissière, entre les reflets de hauts miroirs, de rampes lustrées, de plantes, comme en une ascension si naturelle vers l'écran où passent les plus belles images du monde : tout ce qu'elle désirait admirait, enviait, flotta devant ses yeux. »

Gabrielle Roy, *Bonheur d'occasion*, 1945

Les spécialistes des spaghettis apparaissent aussi, le plus célèbre étant Da Giovanni, établi en 1954. Dans l'ouest, Le Paris offre, depuis 1956, les classiques de la cuisine française. Les enseignes de nombreux autres restaurants marquent longtemps le paysage de la rue, notamment celles des Astor, Au Sélect, Cosy, Chic-N-Coop, Dinty Moore et Luxor.

Le soir venu, elles sont brillamment éclairées pour attirer l'œil du client de passage. Elles côtoient les enseignes illuminées des cinémas, des boîtes de nuit et des magasins. Sur plusieurs kilomètres de long, la rue Sainte-Catherine a les allures d'un double ruban de lumière, multicolore et clignotant. Fascinant pour les uns, agressant pour les autres, l'effet est tout de même saisissant par son ampleur.

Cet éclairage rend bien compte de la double vie de la rue Sainte-Catherine. Le jour, elle appartient aux employés des bureaux, aux commis des magasins et à leurs clientes, parfois accompagnées de leurs enfants, particulièrement nombreux dans l'après-guerre. Une foule dense de gens affairés s'y presse, surtout dans l'ouest.

Le soir, les enfants n'y sont plus, mais les jeunes adultes y viennent en grand nombre, à la recherche de divertissements variés. La foule est plus clairsemée, mais aussi plus animée. La nuit lui appartient.

LE REGARD DE LOISEL ET TRIPP

Page couverture de *Magasin général*, de Loisel et Tripp, avec l'aimable autorisation des auteurs et des Éditions Casterman.

CABARET (MONTMARTRE, MONTRÉAL)

Le peintre montréalais Jack Beder réalisa cette œuvre en 1938.

LA SOIF DES AMÉRICAINS

En janvier 1919, le 18ᵉ amendement à la constitution américaine est ratifié. Il interdit la production, le transport et la vente d'alcool sur tout le territoire des États-Unis. Ce régime sec durera de 1920 à 1933. À la même époque, la plupart des provinces canadiennes limitent ou interdisent la vente et la consommation d'alcool. Le Québec fait exception (sauf brièvement en 1918-1919) et attire les assoiffés du continent qui peuvent y consommer le précieux élixir en toute légalité. Montréal en particulier tire profit de cette manne et ses débits de boisson gagnent en popularité. On voit se multiplier les lieux qui, en plus, offrent des spectacles à la clientèle.

Sur ce plan, Montréal profite d'une autre retombée de la prohibition. Celle-ci met en chômage des musiciens américains qui gagnaient leur vie dans les bars et cafés. Plusieurs d'entre eux trouvent du travail à Montréal et contribuent à rehausser l'offre musicale des établissements de la métropole. Par ailleurs, Montréal reste un arrêt important dans le circuit des tournées que font de nombreux orchestres américains. La ville attire

notamment des musiciens noirs qui y trouvent des conditions de travail plus aisées que dans leur pays, même si la discrimination est présente. Montréal vit alors au rythme des musiques américaines, comme l'illustre bien l'introduction du jazz dans les années 1920.

LE RÈGNE DES BOÎTES DE NUIT

À partir des années 1920, les boîtes de nuit se multiplient au centre-ville de Montréal. Certaines sont des bars, d'autres des restaurants, mais toutes offrent du divertissement à la clientèle. Au début, la formule dominante est celle du *night-club* à l'américaine, bien décrite par André G. Bourassa et Jean-Marc Larrue. On y trouve une piste de danse et des musiciens. La soirée est animée par un maître de cérémonie qui, en racontant des blagues, annonce divers numéros, dans la tradition du vaudeville. Tout se déroule en anglais et les vedettes sont surtout américaines, même si certains talents locaux réussissent à percer. Une partie de la clientèle est américaine, mais celle-ci diminue après la fin de la prohibition en 1933.

CHEZ MAURICE
L'une des plus célèbres boîtes de nuit de la rue Sainte-Catherine.

La popularité de ce type de spectacle finit par s'étioler et les propriétaires de boîtes doivent recourir à d'autres formules. La plupart mettent à l'avant-scène le divertissement musical. Les ensembles de jazz, formés le plus souvent de trois à six musiciens, attirent par leur virtuosité et leur créativité. Les années 1940 voient se multiplier les *big bands*, ces grands ensembles en tournée, bien que leurs représentations exigent parfois de plus grandes salles que celles des boîtes de nuit. Selon John Gilmore, la décennie qui suit la Deuxième Guerre mondiale marque le sommet du *showbiz* et des spectacles de jazz à Montréal.

Chez les francophones, une autre direction apparaît dans l'après-guerre, la formule du cabaret. On y présente des spectacles entièrement en français — une nouveauté dans le circuit des boîtes de nuit — faits de chansons et favorisant la participation du public. On y entend des chanteurs et des chanteuses (souvent appelées diseuses à l'époque) originaires de France ou du Québec.

Pendant cette période, le cœur de la vie nocturne montréalaise se partage entre le boulevard Saint-Laurent et la rue Sainte-Catherine. Cette dernière abrite certains des plus célèbres établissements. Dans l'ouest,

UNE REPRÉSENTA-TION CHEZ MAURICE DANCELAND
Une foule nombreuse danse au son de l'orchestre de Cab Calloway.

FEMME FATALE

« C'est en cette nuit, au milieu de l'hiver 1944, que commença le règne, d'une durée de sept ans, de Lili St. Cyr comme la plus célèbre des femmes de Montréal, "la" femme fatale de la ville, celle dont le nom évoquait à la fois le raffinement, le mystère et le péché, et qui éveillait chez plusieurs mâles un ardent désir charnel. Sa célébrité devait vite s'étendre hors de Montréal, et l'on raconte que des gentlemen de Toronto et de Winnipeg planifiaient leurs déplacements d'affaires à Montréal en fonction des passages de Lili sur la scène du Gayety. Tout comme les fans locaux de la star, parmi lesquels se trouvaient de nombreuses femmes, ils assistaient avec patience aux numéros d'ouverture — comédiens, ventriloques, jongleurs, lanceurs de couteaux — anxieux de voir ce que Lili leur réservait cette fois. »

William Weintraub, *City Unique, Montreal Days and Nights in the 1940s and '50s*, 1998

on trouve notamment le Montmartre, le Blue Sky, le Rising Sun et Chez Maurice. D'autres sont situés tout près, dans les rues transversales comme Peel et Stanley. Dans l'est, le Hollywood, le Casa Loma, puis le Café Saint-Jacques contribuent à l'animation nocturne.

Des spectacles de *strip-tease* sont parfois présentés dans certaines boîtes, mais les plus courus le sont au théâtre Gayety. C'est là que se produit, à partir de 1944, la plus célèbre effeuilleuse de l'histoire de Montréal, l'Américaine Lili St. Cyr.

LILI ST. CYR, REINE DES NUITS DE MONTRÉAL
La belle Américaine s'appelle Marie Klarquist. Elle dévoile ses charmes au Gayety.

LE RED LIGHT, LIEU DE TOUS LES DANGERS

Au fil des ans, plusieurs boîtes tombent sous la coupe de groupes criminalisés et deviennent une composante d'un ensemble de trafics illicites, souvent associés à la vie nocturne. La pègre tire ses profits de la vente de stupéfiants, de la prostitution, du jeu et des paris illégaux, des activités dont les clients peuvent se recruter dans les cafés et les bars.

Pendant la première moitié du XXe siècle, la pratique de ces activités criminalisées se concentre surtout dans une vaste zone de la ville, dont la rue Sainte-Catherine forme l'axe est-ouest et le boulevard Saint-Laurent l'axe nord-sud. Appelée le Red Light, cette zone comprend un grand nombre de maisons de prostitution et de maisons de

jeu. Sa réputation de paradis des plaisirs interdits est bien connue d'un grand nombre de Montréalais, tout comme des marins, des hommes d'affaires ou des touristes de passage dans la ville.

Les forces de l'ordre y font régulièrement des descentes, arrêtant tenanciers, employés, prostituées et même clients qui, une fois l'amende payée, retournent à leurs occupations. De temps à autre, des voix s'élèvent pour critiquer le travail des policiers. On leur reproche de ne pas en faire assez pour éradiquer le problème. Certains les accusent d'être de mèche avec les criminels et de recevoir des pots-de-vin pour fermer les yeux.

Diverses enquêtes judiciaires, notamment celles de 1909, de 1924-1925 et de 1944, font état de ces préoccupations et identifient quelques cas de corruption, mais elles ne changent pas vraiment le cours des choses. La vie du Red Light se poursuit comme avant. Il en va autrement à partir de 1950. Cette année-là, le Comité de la moralité publique obtient l'ouverture d'une enquête présidée par le juge François Caron. Pendant plusieurs mois, le public montréalais est exposé à la description des lieux, des personnages et des activités qui ont marqué le Red Light

LIBÉRON MONTRÉ

DE LA PÈGRE

Souscrivez au

COMITÉ DE MORALITÉ PUBLIC
DE LA LIGUE D'ACTION CIVIQUE
266 ouest, rue St-Jacques, suite 305
MONTRÉAL, QUÉ. — HA. 6204

Toute souscription de $3.00 ou plus donne droit à une copie de "Montréal sous le règne de la pè

au cours des dix années précédentes. Le rapport Caron est déposé en 1954, juste à temps pour permettre à l'avocat du Comité de la moralité publique, Jean Drapeau, d'être élu maire de Montréal.

Une fois au pouvoir, celui-ci mène une campagne énergique qui entraîne la fermeture des maisons de jeu et de prostitution, mais aussi de plusieurs boîtes de nuit. La vie nocturne qui avait si longtemps caractérisé Montréal et sa rue Sainte-Catherine en prend un coup. Le Red Light perd tout son lustre et certaines activités criminelles se déplacent vers d'autres quartiers. Peu après, une partie du quartier tombe sous le pic du démolisseur dans l'opération de rénovation urbaine qui conduit à la construction des Habitations Jeanne-Mance.

VERS UN NOUVEAU PÔLE CULTUREL

La campagne de moralité n'est qu'un élément parmi les nombreux changements qui affectent le monde du divertissement dans les années 1950 et 1960. Beaucoup plus important est l'impact culturel, mais aussi économique et social, de la télévision. En outre, dans la foulée des transformations accélérées qui touchent les Québécois francophones, émerge un intense renouveau culturel dont les effets sont ressentis rue Sainte-Catherine.

LA TORNADE TÉLÉVISION

Jamais dans l'histoire une innovation technologique n'aura connu une adoption aussi rapide et foudroyante que la télévision. À Montréal, le service est inauguré en 1952 et, huit ans plus tard, 90 % des foyers possèdent un téléviseur. Le média de l'heure captive et rassemble un auditoire considérable. En offrant presque gratuitement aux familles un divertissement varié, la télévision détourne une partie de la clientèle traditionnelle de la rue Sainte-Catherine.

LE PARISIEN EN 1970
L'ancien Princess a un nouveau visage.

Tous les secteurs de la culture et du divertissement en sont affectés d'une façon ou d'une autre. Les plus durement touchés sont les lieux qui offraient des spectacles de variétés, notamment les boîtes de nuit et les théâtres de burlesque. Leurs artistes les plus talentueux peuvent se produire à la télévision, où leurs cachets sont supérieurs. Quand, en 1953, Jean Grimaldi transforme l'ancien Gayety en Radio City, il obtient d'abord un succès considérable, mais à peine trois ans plus tard, c'est la débandade. Le burlesque n'a plus la cote et le public déserte les lieux.

Moins brusque, l'effet est tout de même perceptible dans les salles de cinéma. Encore en croissance dans l'après-guerre, leur clientèle commence à diminuer après 1953. La multiplication des films en couleurs leur donne un certain avantage tant que la télévision reste en noir et blanc, mais leur déclin est irréversible. Celles de la rue Sainte-Catherine résistent peut-être mieux que les cinémas de quartier parce qu'elles ont le monopole des primeurs. Elles restent en activité dans les années 1960 et leur transformation ou leur fermeture ne viendra que plus tard. L'Orpheum est tout de même reconverti en théâtre en 1957, avant d'être démoli dix ans plus tard. D'autres salles voient leur vocation changer. Le Français et le Princess (rebaptisé le Parisien) passent de l'anglais au français. Le Strand devient le Pigalle.

LE RENOUVEAU THÉÂTRAL

L'arrivée de la télévision a des effets positifs dans au moins un secteur, celui du théâtre, longtemps affligé de problèmes de sous-financement. La programmation du nouveau média exige un grand nombre d'acteurs professionnels. Ceux-ci y trouvent des emplois plus réguliers et des cachets intéressants, ce qui leur permet de se consacrer à leur passion pour le théâtre en ayant moins de soucis de survie.

Les acteurs et le milieu théâtral se professionnalisent donc dans l'après-guerre. De nouvelles troupes sont fondées et attirent un public croissant. Elles obtiendront bientôt l'appui de l'État, car le Conseil des Arts du Canada, créé en 1957, et le ministère des Affaires culturelles du Québec, établi en 1961, contribuent à l'essor théâtral.

DU GAYETY AU THÉÂTRE DU NOUVEAU MONDE

La compagnie Canadian Amusement retient les services des architectes Ross et MacFarlane pour la réalisation des plans d'un nouveau théâtre de 1650 places. Érigé à l'angle des rues Sainte-Catherine et Saint-Urbain en 1912, celui-ci contribue à animer les nuits de Montréal avec la présentation d'une variété de spectacles. D'abord nommé le Gayety, l'établissement connaît un vif succès avec ses spectacles de vaudeville et de burlesque. Entre 1930 et 1932, la salle devient un cinéma et son nom change pour Théâtre des Arts. Elle prend ensuite le nom de Mayfair et le conserve durant huit ans. En 1941, l'établissement redevient le Gayety et renoue avec le burlesque en présentant des spectacles d'effeuilleuses, dont la plus populaire de l'époque, l'Américaine Lili St. Cyr. Il ferme ses portes en 1953 et est repris en main la même année par Jean Grimaldi, qui lui conserve sa vocation pour un temps, mais change son nom pour Radio City. Après un succès initial, il est victime d'une perte de popularité du burlesque à la suite de l'essor de la télévision. En 1956, le théâtre est vendu à Gratien Gélinas, qui entreprend de le rénover en profondeur et lui donne le nom de Comédie-Canadienne. La salle présente alors des pièces de théâtre et elle est aussi louée, notamment pour des spectacles de chanson française. En 1972, l'immeuble est acquis par le Théâtre du Nouveau Monde, qui s'y installe en permanence et donne son nom à la vénérable salle de spectacle, devenue un des hauts lieux de l'activité théâtrale. Des travaux y sont entrepris en 1997 sous la direction de l'architecte Dan S. Hanganu. L'enveloppe de l'immeuble est modernisée et la salle adaptée aux nouvelles exigences scéniques. (GLG)

GRATIEN GÉLINAS VERS 1957

Le dramaturge vient d'acquérir l'ancien Gayety/Radio City, dont il fera la Comédie-Canadienne.

COMÉDIE CANADIENNE

SAISON 1957-1958

L'ORCHESTRE SYMPHONIQUE DE MONTRÉAL

Les premiers orchestres apparaissent à Montréal au milieu du XIXe siècle et se produisent dans des salles aux alentours de la rue Sainte-Catherine, dont le Queen's Hall et le His/Her Majesty's. Au début des années 1930, le Montreal Orchestra est formé par des artistes qui perdent leur emploi en raison de l'arrivée du cinéma parlant. Les musiciens francophones de la ville, ne se reconnaissant pas dans cet orchestre, fondent en 1934, avec l'appui d'hommes d'affaires francophones et de la Ville de Montréal, la Société des concerts symphoniques de Montréal (devenue Orchestre symphonique de Montréal). Son public est avant tout francophone et, pendant longtemps, elle donne ses représentations à l'auditorium Le Plateau. Son premier concert, sous la direction de Rosario Bourdon, y est d'ailleurs présenté en 1935.

Dès sa création, la Société désire attirer des chefs et des solistes de renom. Wilfrid Pelletier, aussi au Metropolitan Opera de New York, en est le premier directeur artistique, de 1941 à 1953. Parmi ses successeurs, plusieurs chefs connaissent de brillantes carrières internationales. Zubin Mehta marque particulièrement l'histoire de l'orchestre, l'amenant vers de nouveaux sommets avec des tournées européennes. Sa présence coïncide avec l'ouverture de la nouvelle salle de la Place des Arts, un lieu mieux adapté aux ambitions d'un orchestre d'envergure internationale. À ce moment, l'OSM compte 95 musiciens. En 1978, l'arrivée du chef d'origine suisse Charles Dutoit contribue à développer l'ensemble. Sous sa direction, les musiciens partent en tournée à travers le monde et réalisent des enregistrements. L'OSM est alors en plein essor, tant au niveau international qu'à Montréal. À la fin des années 1990, l'orchestre est en crise, notamment en raison du déclin de l'industrie de l'enregistrement de la musique classique et de la diminution des budgets. La venue du chef Kent Nagano au milieu des années 2000 et la construction d'une salle dédiée à l'orchestre lui donnent un nouveau souffle. (GLG)

À L'INAUGURATION DE LA PLACE DES ARTS

Le maire Jean Drapeau est entouré des chefs d'orchestre Zubin Mehta et Wilfrid Pelletier.

L'histoire d'une des nouvelles troupes d'après-guerre est étroitement associée à celle de la rue Sainte-Catherine. Le Théâtre du Nouveau Monde (TNM) est fondé en 1951 par un groupe d'acteurs dirigé par Jean Gascon. Il initie le public montréalais au répertoire international, classique et contemporain, tout en proposant des créations québécoises. Le TNM joue d'abord au Gesù, rue De Bleury, juste au sud de la rue Sainte-Catherine. Il vient à cette dernière en 1957 quand il loue à long terme le théâtre Orpheum, où il joue de 1958 à 1966. Il s'installe ensuite au Port-Royal, l'une des nouvelles salles de la Place des Arts, avant d'acquérir l'immeuble de la Comédie-Canadienne en 1972.

Situé à l'angle de la rue Saint-Urbain, ce dernier est l'ancien Gayety transformé en Radio City que le comédien et auteur Gratien Gélinas achète en 1957. Après des transformations majeures, le théâtre ouvre à nouveau ses portes sous le nom de Comédie-Canadienne. Gélinas veut y présenter des œuvres d'auteurs québécois, ce qu'il fait avec un certain succès. Pour rentabiliser la salle de 1200 places, il doit aussi l'ouvrir à d'autres types de spectacles. C'est ainsi que la Comédie-Canadienne devient, dans les années 1960, un des hauts lieux de la chanson française et québécoise en présentant les récitals de grands artistes de l'époque.

LA PLACE DES ARTS

L'intervention culturelle la plus marquante de l'après-guerre est cependant la mise en chantier de la Place des Arts. Celle-ci répond au besoin exprimé depuis longtemps de doter Montréal d'une salle de concerts digne de ce nom pour y recevoir, notamment, l'Orchestre symphonique de Montréal, fondé en 1934, et les orchestres étrangers en tournée.

Le projet est lancé en 1955 par le maire Jean Drapeau, qui réunit un groupe de personnalités surtout issues du milieu des affaires. Avec l'appui du premier ministre Maurice Duplessis, un organisme tripartite (gouvernement, ville et secteur privé), le Centre Sir George-Étienne-Cartier, obtient le mandat de le réaliser.

Le groupe adopte le modèle du *Arts Center*, alors en vogue aux États-Unis et dont le Lincoln Center de New York sera le prototype. L'élaboration du projet de la Place des Arts est d'ailleurs confiée à la firme

COSTUME DE THÉÂTRE EN 1968
Le peintre Alfred Pellan le conçoit pour *La Nuit des rois*, présentée à la Place des Arts.

LA NUIT DES ROIS
Cette pièce est produite
à la Place des Arts,
en 1968, par le Théâtre
du Nouveau Monde.

new-yorkaise de Raymond Loewy, qui propose la construction d'un complexe de trois salles. On commence toutefois avec la Grande Salle, dont la firme d'architectes montréalaise Affleck, Desbarats, Dimakopoulos, Lebensold, Michaud et Sise dévoile les plans en 1959.

Jean Drapeau, soucieux d'éviter un conflit entre l'ouest anglophone et l'est francophone, choisit d'établir le complexe en plein cœur de la ville et rallie à ce choix ses partenaires. Le site retenu est un vaste quadrilatère borné par les rues Sainte-Catherine, Jeanne-Mance, Ontario et Saint-Urbain. On y trouve notamment le pensionnat Les Buissonnets (l'ancien Institut Nazareth), des bureaux de la Commission des écoles catholiques, l'immeuble Kellert, ainsi que des appartements et des entrepôts qui devront tous être démolis.

Le projet provoque d'intenses débats dans la société montréalaise. Certains privilégient la vocation internationale et veulent une salle en mesure d'accueillir les troupes et les orchestres étrangers en tournée nord-américaine, alors que d'autres insistent sur la nécessité d'en faire un instrument de développement au service de la production culturelle nationale. Un long conflit de juridiction oppose aussi l'Union des artistes, québécoise, à l'Actors' Equity, américaine. Des erreurs de planification et des dépassements de coûts marqueront le développement du projet.

LA PLACE DES ARTS EN 1967
La Salle Wilfrid-Pelletier
peut accueillir près
de 3000 personnes.
(pages 154-155).

Mise en chantier en 1961, la Grande Salle (nommée ensuite Wilfrid-Pelletier) est inaugurée le 21 septembre 1963. Comptant près de 3000 sièges, elle devient la maison de l'Orchestre symphonique de Montréal et elle accueille de nombreux spectacles en tournée. En 1964, le gouvernement confie la gestion du complexe à la nouvelle Régie de la Place des Arts. Celle-ci fait ériger un immeuble complémentaire, comprenant les salles Maisonneuve (1460 sièges) et Port-Royal (755), inauguré en 1967, à temps pour le Festival mondial qui accompagne l'Exposition universelle de 1967.

La Place des Arts devient ainsi le cœur d'un pôle culturel appelé à s'étendre au cours des décennies suivantes.

LE HÉROS NATIONAL
L'une des nombreuses photographies représentant Maurice Richard.

MAURICE RICHARD, FIGURE EMBLÉMATIQUE DU HOCKEY À MONTRÉAL

Maurice Richard entreprend sa carrière avec les Canadiens de Montréal en 1942. Il connaît des débuts plutôt difficiles lorsqu'une fracture à la cheville lui fait rater la majorité des matchs de sa première saison. Dès 1943 et jusqu'en 1948, il brille sur la patinoire dans la *Punch Line* avec Elmer Lach et Hector « Toe » Blake. Le numéro 9 est particulièrement prolifique durant la saison 1944-1945. Lors d'un match contre les Red Wings, il compte cinq buts et participe à trois autres. Cette année-là, il bat l'ancien record de Joe Malone, qui avait marqué 44 buts en une saison. Richard en compte 50 en 50 matchs ! À ce moment, le Rocket entre dans la légende. Il n'est pas seulement un excellent joueur de hockey, il représente également un symbole pour les partisans francophones. L'émeute du Forum en est la démonstration la plus éloquente. À la fin des années 1950, le Rocket accumule plusieurs blessures, qui l'amènent à se retirer en 1960. Il va sans dire que la carrière de Maurice Richard a marqué l'histoire du hockey. Un trophée, destiné au meilleur marqueur de la ligue, est d'ailleurs créé en son honneur en 1999. (GLG)

L'ÉMEUTE DU FORUM

Le 17 mars 1955, les Canadiens affrontent les Red Wings de Detroit au Forum. Dès le début de la rencontre, les partisans sont survoltés en raison de la décision du président de la ligue, Clarence Campbell, de suspendre Maurice Richard pour la saison et durant les séries éliminatoires. Quelques jours plus tôt, Richard avait asséné un coup à un arbitre dans une bagarre contre Hal Laycoe des Bruins de Boston. Cette suspension est mal reçue parmi les francophones qui voient dans cette décision une injustice. Elle menace également les chances du Canadien de gagner la coupe Stanley. La présence de Campbell lors de la soirée du 17 mars attise la colère des partisans, qui le prennent à partie. Puis, une bombe lacrymogène est lancée sur la glace, ce qui entraîne l'évacuation de l'aréna. Bien des gens mécontents s'ajoutent à la foule venue manifester rue Sainte-Catherine. La police tente tant bien que mal de contrôler les émeutiers qui saccagent les vitrines de la rue Sainte-Catherine, mais c'est peine perdue. Les débordements engendrés par cet événement sportif illustrent bien les tensions culturelles d'alors, et marquent l'imaginaire d'une époque traversée par les rivalités linguistiques.

UN PRÉSIDENT ASSIÉGÉ

Clarence Campbell est pris à partie par des spectateurs au Forum.

LA PATRIE DU HOCKEY

L'offre de divertissement de la rue Sainte-Catherine comprend un important volet sportif. En effet, une grande partie de l'histoire du hockey à Montréal se déroule le long de cette artère. C'est une histoire riche et complexe et elle ne pourra qu'être évoquée à grands traits.

UNE ÉQUIPE TRIOMPHANTE

À la fin du xixe siècle, plusieurs équipes amateurs évoluent à Montréal. Les clubs les plus significatifs sont les Crystals, le Montreal, le National, les Shamrocks, les Victorias et les Wanderers. Au début du siècle suivant, certains font le saut dans les rangs professionnels, notamment les Shamrocks (jusqu'en 1910) et les Wanderers (jusqu'en 1918). Le club de hockey Canadien, fondé en 1909, s'inscrit dès le départ dans les rangs professionnels et joue sa première partie en 1910. Il se distingue en recrutant essentiellement des francophones, tandis que les Wanderers représentent l'élément anglophone de la ville. La disparation de ces derniers, en 1918, laisse les Canadiens seuls représentants de Montréal dans la Ligue nationale de hockey. En 1924, une nouvelle équipe anglophone est créée à Montréal, les Maroons ; elle cessera ses activités en 1938.

Après cette date, les Canadiens sont l'expression incontestée du hockey montréalais. En 100 ans, ils gagnent 24 fois la coupe Stanley, plus que toute autre équipe de la ligue. Ils recrutent des joueurs talentueux qui deviennent des vedettes et les idoles du public montréalais. Parmi eux, certains ont acquis une réputation mythique : Newsy Lalonde, Georges Vézina, Aurèle Joliat, Howie Morenz, Hector « Toe » Blake, Maurice et Henri Richard, Jacques Plante, Jean Béliveau, Guy Lafleur.

Au fil du xxe siècle, une véritable histoire d'amour entre les Montréalais et leur équipe se développe. Très tôt, les journaux accordent à l'équipe et à ses joueurs une part considérable de leurs pages consacrées aux sports. La radio puis la télévision font de même. Pendant longtemps, *La Soirée du hockey* est l'une des émissions les plus regardées au petit écran. Aux yeux des Montréalais tout comme à l'extérieur, les Canadiens deviennent un symbole de la ville.

DES LIEUX MYTHIQUES

Pendant une grande partie de leur histoire, les Canadiens ont joué dans des stades situés le long de la rue Sainte-Catherine. Cela commence à

PAPA ET MOI AU FORUM

Samedi 24 décembre 1966

« Quand on est entrés au Forum, j'ai commencé à courir parce que j'avais très hâte de voir la patinoire et puis Jean Béliveau et puis Henri Richard et puis tous les autres. J'ai monté des escaliers et puis je suis arrivé en plein à côté de la glace.

C'était formidable. Il y avait tous les joueurs qui patinaient en rond pour se pratiquer et ça faisait plein de couleurs partout, bien plus qu'au cirque que j'ai vu l'année passée la fois où j'avais mangé trop de crème glacée.

[...]

« J'ai commencé à chercher Jean Béliveau et Henri Richard et je les trouvais pas alors j'ai dit à papa qu'ils étaient peut-être de l'autre côté de la colonne. Il y avait un monsieur avec une casquette qui était assis juste à côté, alors papa lui a demandé où ils étaient alors le monsieur lui a dit qu'ils étaient tous les deux très blessés et qu'ils étaient restés chez eux pour se soigner. Quand j'ai entendu ça, j'ai eu très envie de pleurer alors papa m'a dit : « Viens lève-toi on va chanter Ligne Nationale. »

Marc Robitaille, *Des histoires d'hiver avec des rues, des écoles et du hockey*, 1992

l'aréna Jubilée, à l'angle de la rue Moreau, dans Hochelaga. Construit en 1908, il peut accueillir un peu plus de 3000 spectateurs. Les Canadiens y amorcent leur carrière en 1910 et y jouent leur première saison. Ils y reviendront en 1918 et 1919, après l'incendie de l'aréna de Westmount, mais le Jubilée sera lui-même la proie des flammes le 27 avril 1919.

Dès leur deuxième saison (1910-1911), les Canadiens élisent domicile à l'aréna de Westmount, appelé aussi aréna de Montréal. Construit en 1898, il est situé à l'angle de l'avenue Wood, dans Westmount. Il offre l'avantage d'être deux fois plus grand que le Jubilée et plusieurs équipes l'utilisent, dont les Wanderers. C'est là que les Canadiens remportent leur première coupe Stanley, en 1916. La patinoire est dotée de glace artificielle dès 1915, mais l'édifice est détruit par un incendie trois ans plus tard.

À la suite de la disparition des deux arénas de la rue Sainte-Catherine, les Canadiens déménagent à l'aréna Mont-Royal, situé sur la rue du même nom, où ils jouent de 1920 à 1926. Ils reviennent alors rue Sainte-Catherine et s'installent pour longtemps au Forum. Ce dernier est construit en 1924, à l'angle de l'avenue Atwater, par la compagnie Canadian Arena, à un coût dépassant le million de dollars. Il loge d'abord les Maroons, puis les deux équipes y cohabitent de 1926 à 1938.

À l'époque, le stade loge 9300 spectateurs. Il est agrandi une première fois en 1949, ce qui permet de porter sa capacité à 13 551 sièges. Des travaux encore plus importants sont entrepris en 1968, alors que la structure portante du toit est entièrement refaite, ce qui permet d'éliminer les colonnes ; des loges et une galerie de la presse sont aménagées et des sièges sont ajoutés ; la capacité est ainsi portée à 18 200 places.

Les Canadiens joueront 70 ans au Forum. Cet édifice a donc une valeur symbolique importante et il est fortement identifié au hockey. Pendant des années, sa patinoire accueille aussi des clubs junior et des équipes d'amateurs. De plus, d'autres sports sont pratiqués dans l'enceinte du Forum. On y présente de nombreux matchs de crosse et de soccer, ainsi que des combats de lutte et de boxe. Le Forum devient même à l'occasion une salle de concerts lorsque les artistes de passage drainent des foules importantes de spectateurs.

Ainsi, la rue Sainte-Catherine se trouve au cœur de l'industrie du divertissement et de la vie culturelle de Montréal. Celles-ci constituent des piliers de son identité et contribuent à l'éclat de son âge d'or. Montréalais et touristes, anglophones et francophones, riches et pauvres y trouvent chacun des endroits pour se cultiver ou se divertir. Ses enseignes lumineuses forment l'écrin de ses folles nuits.

LE FORUM EN 1966
Cette photo montre l'amphithéâtre avant les transformations majeures réalisées en 1968.

CHAPITRE 5

BOULEVERSEMENTS
ET RENAISSANCE

À la fin des années 1960, l'âge d'or de la rue Sainte-Catherine est terminé. La prestigieuse artère, qui s'était développée en phase avec la croissance de la ville, subit les contrecoups des malheurs de Montréal. La crise atteint son paroxysme au début des années 1990, alors que la rue traîne l'image de la déchéance et que ses symboles les plus célèbres disparaissent les uns après les autres. Pourtant, la grande dame n'est pas morte. De puissants souffles de vie l'animent toujours et assureront sa renaissance, une renaissance aux multiples visages. En abordant la période de 1970 à 2010, nous examinerons diverses facettes de ces transformations.

UNE VILLE EN ÉTAT DE CHOC

Montréal accueille, en 1967, une Exposition universelle qui renforce son image internationale et fait la fierté de ses habitants. Cet événement témoigne de l'effervescence culturelle et de la soif de modernité et d'ouverture qui caractérisent les années 1960. Sans que les Montréalais s'en rendent bien compte à l'époque, ce feu d'artifice qu'est Expo 67 constitue aussi le chant du cygne de ce qu'avait été la ville pendant plus d'un siècle. Après 1967, les choses ne seront jamais plus les mêmes.

LA RUE EN 2009
La rue Sainte-Catherine vers l'ouest, à partir du pont Jacques-Cartier.

UN AIR DE DÉSOLATION

La rue porte les traces des bouleversements qui affectent Montréal.

UNE MÉTROPOLE EN DÉCLIN

Montréal subit alors un triple choc dont les répercussions se feront sentir pendant plus de deux décennies et affecteront de multiples façons la rue Sainte-Catherine. La ville voit d'abord Toronto lui ravir, vers 1960, le rôle de métropole, donc de principal centre de décisions économiques du pays. La montée de Toronto est en marche depuis longtemps et s'accélère dans l'après-guerre. Plusieurs grandes entreprises montréalaises y déménagent alors leur siège social et le phénomène se poursuit tout au long des années 1960 et 1970. Le contexte politique du Québec dans les années 1970 justifie certains déplacements, mais il n'en est pas l'élément déclencheur. Ce mouvement touche en particulier les sociétés financières, si importantes dans le centre-ville, mais s'étend aussi à d'autres secteurs. Pour Montréal, cela signifie la perte de milliers d'emplois de haut niveau ainsi que du pouvoir de décision, des salaires élevés et de la consommation qui les accompagnent.

Une autre force de l'économie montréalaise résidait dans son rôle d'intermédiaire et de lieu de transit incontournable dans les échanges privilégiés entre le Canada et la Grande-Bretagne. Cette relation est depuis longtemps en perte de vitesse, alors que s'accroît l'intégration du Canada dans l'orbite américaine, mais l'adhésion de la Grande-Bretagne au Marché commun européen, en 1973, lui porte un coup fatal. En particulier, ce pays cesse d'être le principal débouché du blé canadien, exporté à partir de Montréal. Les activités portuaires et ferroviaires de la ville en sont affectées.

Simultanément, Montréal est victime de la désindustrialisation qui touche plusieurs centres manufacturiers anciens en Europe et en Amérique du Nord. Une grande partie de la production de biens de consommation, reposant sur l'emploi d'une main-d'œuvre à bas salaire, est alors délocalisée vers les pays en voie de développement. À Montréal, c'est l'hécatombe dans des secteurs tels la chaussure, le textile et le vêtement, où des milliers d'emplois disparaissent. Par ailleurs, dans plusieurs domaines, l'automatisation accrue et les nouvelles techniques de production rendent obsolètes les installations manufacturières existantes, comme les usines qui longent le canal de Lachine et celles d'Hochelaga-Maisonneuve. Plusieurs entreprises choisissent alors de concentrer leurs activités en Ontario.

LE RALENTISSEMENT DE LA CROISSANCE

Ce triple choc provoque une longue période de chômage élevé qui affecte en particulier les jeunes et les familles ouvrières, et se manifeste avec plus d'acuité dans les quartiers anciens de la ville, notamment ceux que traverse la rue Sainte-Catherine. Le problème est accentué par les récessions de 1981-1982 et surtout de 1990-1992 dont l'effet est particulièrement dévastateur à Montréal, et qui donne à la rue Sainte-Catherine l'allure d'une zone sinistrée.

Dans ce contexte, les immigrants ne sont guère attirés par Montréal. La ville reçoit une proportion nettement plus faible qu'auparavant des nouveaux arrivants au Canada et elle peine à les retenir. Avec la chute marquée de la natalité et les nombreux départs pour Toronto et pour l'Ouest, la croissance démographique est très faible. Dans les années 1960, on prévoit que la population de l'agglomération de Montréal atteindra cinq millions d'habitants en 1981 ; en réalité, ce sera moins de trois. De peine et de misère, les effectifs grimpent à 3,4 millions en 2001. Ce rythme de croissance anémique est nettement inférieur à celui de Toronto et de plusieurs autres grandes villes canadiennes pendant cette période.

RÉINVENTER MONTRÉAL

Malgré cette longue traversée du désert, Montréal réussit à se réinventer et à jeter les bases de sa relance. Si des dizaines de milliers d'emplois manufacturiers disparaissent à tout jamais, un grand nombre d'autres

MONTRÉAL DEUX FOIS L'EXIL

J'ai perdu les repères de mes années d'atterrissage.
Où es-tu Montréal d'antan ?

Suis-je aïeule déjà cherchant les lieux de ma jeunesse en toi !
Moi l'exilée d'Orient arrivée dans tes espaces au printemps de ma vie ?

L'autobus beige haut sur pattes qui ressemblait à mon chameau, propre
comme un sou neuf, et ses sièges de cuir sans graffiti me manque.

Le quincaillier Pascal ses clous et ses peintures !
Les rayons de Woolworth et sa cafétéria au linoléum damier, ses
banquettes de cuir vert et ses comptoirs de tôle où le grilled-cheese
fondu et le pâté chinois suivaient l'emplette à bas prix qui convenait à
mes budgets !

Simpson's l'élégant magasin où j'ai fait mes débuts avortés de
vendeuse en cristaux, tremblant devant la clef anglaise qui méprisait
mon ignorance et me persécutait, gagnant ma vie un dollar vingt-cinq
de l'heure en remerciant le ciel !

La vitrine de Noël à baver de bonheur du magasin Eaton et sa Parade
envoûtant mon fils ému devant les mages et les moutons !

[...]

Montréal
où nous, anciens venus d'ailleurs sommes déjà dépaysés...

Montréal dépaysée par nos cultures et nos couleurs...

[...]

Mona Latif-Ghattas, *Montréal vu par ses poètes,* 2006

sont créés dans des industries de pointe tels l'aéronautique, le biopharma-
ceutique ou les télécommunications. Les entreprises qui ont survécu à
l'hécatombe sont devenues plus spécialisées et plus productives.

Comme ailleurs en Occident, la main-d'œuvre montréalaise se
retrouve désormais beaucoup plus dans les bureaux et les magasins
que dans les usines. La croissance des services se manifeste tout
autant dans les firmes d'ingénierie et les cabinets de comptables que

dans les hôpitaux et les administrations publiques. Particulièrement notable est la poussée des activités liées au savoir, à la création et à la culture, dans les universités et les centres de recherche, dans les théâtres et les studios de télévision. La main-d'œuvre qualifiée s'accroît de façon appréciable, une retombée de la réforme scolaire des années 1960, en même temps que la participation des femmes au marché du travail augmente à vive allure.

Montréal joue plus qu'avant son rôle de métropole du Québec. À partir des années 1970, de nouvelles élites francophones se retrouvent aux commandes dans tous les domaines d'activité, notamment à la direction des grandes entreprises du secteur privé, longtemps une chasse gardée des anglophones. L'émergence du « Québec Inc. » confirme le changement de cap et profite à Montréal puisque les nouvelles entreprises francophones y implantent leur siège social. L'essor des médias de langue française et de la culture québécoise contribue aussi au rayonnement montréalais. En même temps, de nouvelles lois linguistiques (lois 22, puis 101) viennent renforcer l'usage du français et sa primauté dans l'affichage public. Le visage extérieur de la rue Sainte-Catherine en est complètement transformé.

SUR LE SENTIER DE LA RELANCE

Montréal retrouve la voie de la croissance à partir de 1994 et les effets de la reconversion s'y font sentir. Profitant du libre-échange avec les États-Unis, ses entreprises deviennent exportatrices de biens et de services. Montréal fait sa marque dans les nouvelles technologies et obtient une reconnaissance internationale comme ville de création et de design. Son caractère francophone affirmé, son bilinguisme fonctionnel et sa diversité ethnoculturelle renforcent son image de lieu unique parmi les grandes villes d'Amérique du Nord.

Le chômage recule, la prospérité revient. Les immigrants affluent en plus grand nombre et contribuent à accélérer

L'IMMEUBLE BELGO
Témoin du passé industriel, il trouve une nouvelle vocation.

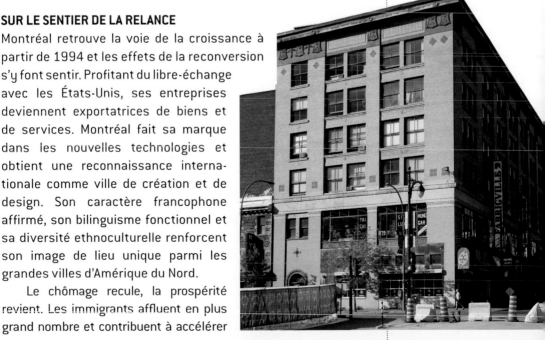

**AFFICHER
EN FRANÇAIS**
La rue Sainte-Catherine
offre un nouveau
visage.

la croissance de la population au début du XXIe siècle. La demande résidentielle bondit et une véritable frénésie immobilière s'empare de la
ville, notamment dans les quartiers qui entourent le centre. Montréal et
sa rue Sainte-Catherine ont de nouveau le vent dans les voiles.

D'AUTRES FAÇONS D'HABITER LA VILLE

Si les aléas de l'économie montréalaise conditionnent les hauts et les
bas de la rue Sainte-Catherine, celle-ci est également affectée par le
redéploiement de l'espace urbain.

LA BANLIEUE TRIOMPHANTE

Le phénomène dominant est le développement de la banlieue, favo-
risé par la mise en place d'un nouveau réseau d'autoroutes dans les
années 1960 et 1970. Au début, il s'observe dans la périphérie immédiate de la ville centrale : aux deux extrémités de l'île, à Laval et dans la
proche Rive-Sud. À partir des années 1980, la banlieue explose dans
toutes les directions, formant une deuxième couronne beaucoup plus
éloignée. Sur la rive nord, la croissance atteint alors Mirabel et
Mascouche ; sur la rive sud, elle se répand jusqu'au Richelieu.

Certes, l'expansion du territoire urbanisé n'est pas un phénomène nouveau ; elle caractérise le développement de Montréal depuis des siècles. Pendant longtemps, ce débordement vers la périphérie a renforcé la polarisation d'une foule d'activités au centre-ville, mais ce n'est plus le cas à partir des années 1960. L'étalement induit par l'automobile atteint une telle dimension qu'il conduit à l'éclatement et au morcellement du tissu urbain. L'éloignement du centre est si grand que les nouveaux banlieusards renoncent à s'y rendre et préfèrent trouver dans leur milieu l'éventail de biens et de services requis par la vie quotidienne. On voit ainsi se constituer dans la banlieue même des pôles de développement en concurrence avec celui du centre-ville.

WESTMOUNT SQUARE
Ce complexe de bureaux, d'appartements et de magasins est l'œuvre de Mies van der Rohe.

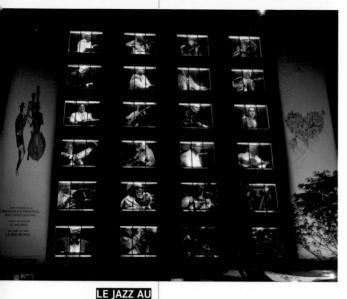

LE JAZZ AU BLUMENTHAL
L'ancien immeuble industriel connaît une nouvelle vie.

DES QUARTIERS CENTRAUX REMODELÉS

Même si la rue Sainte-Catherine reste l'artère la plus fréquentée, elle n'a plus ce caractère incontournable d'autrefois. Elle peut cependant compter sur la clientèle de plusieurs quartiers environnants. Toutefois, celle-ci n'est plus tout à fait la même. Elle est d'abord moins nombreuse puisque, entre 1966 et 1981, la ville de Montréal perd près de 250 000 personnes. Le million d'habitants qu'il lui reste ne présente plus le même portrait qu'auparavant. Les familles avec de jeunes enfants ont tendance à migrer en banlieue. Les quartiers anciens retiennent surtout soit des personnes retraitées refusant de quitter le milieu où elles ont passé toute leur vie, soit de jeunes adultes sans enfants, notamment des milliers d'étudiants universitaires. L'impact se fait sentir tant sur le magasinage que sur la consommation de produits culturels.

Dans l'ouest, les environs de la rue Sainte-Catherine, surtout dans les voies transversales, se couvrent de tours d'appartements qui accroissent la densité résidentielle. À l'est du boulevard Saint-Laurent, la rue parcourt plusieurs kilomètres de zones appauvries par la désindustrialisation rapide et massive. Dans le Centre-Sud, puis dans Hochelaga-Maisonneuve, le chômage et la pauvreté font sentir leurs effets sur les activités de l'artère commerciale.

Les quartiers anciens sont aussi touchés par l'embourgeoisement. Cette réappropriation du territoire par des couches sociales plus aisées et plus scolarisées se manifeste d'abord dans le nord d'Outremont, puis dans le Plateau-Mont-Royal et le Mile End. Elle affecte également de façon ponctuelle des secteurs du Centre-Sud et même d'autres parties de la ville. On connaît mal l'impact de ce phénomène sur la clientèle qui fréquente les magasins et les services le long de la voie.

UNE POPULATION DE PASSAGE

La rue Sainte-Catherine est toutefois avantagée par la croissance de la clientèle touristique, d'abord canadienne et américaine, puis plus diversifiée. Plusieurs grands hôtels sont érigés dans le centre-ville à partir des années 1960. Les congrès internationaux se multiplient, surtout après l'ouverture du Palais des Congrès. Des événements exceptionnels — Expo 67 ou les Jeux olympiques de 1976 — ou annuels — le Grand Prix du Canada ou le Festival international de jazz, par exemple — attirent à Montréal des milliers de visiteurs. Que leur motivation soit les affaires ou le loisir, la plupart d'entre eux se dirigent rue Sainte-Catherine pendant leur séjour. Ils contribuent de façon significative à l'animation de la rue et font tinter le tiroir-caisse de ses commerçants.

LA FIN DES MANUFACTURES

Compte tenu de l'abandon des sites industriels anciens un peu partout à Montréal, il ne faut pas se surprendre de voir ceux de la rue Sainte-Catherine disparaître ou être convertis à d'autres usages.

À Westmount, l'édifice de la boulangerie POM, construit en 1930 et agrandi en 1953, est fermé à la suite des regroupements d'entreprises et de la réorganisation de la production qui touche ce secteur d'activité dans la région de Montréal. En 1988, il est reconverti et intégré dans un nouvel immeuble d'appartements de luxe.

L'ANCIENNE BOULANGERIE POM
Elle est intégrée à un complexe d'appartements.

Dans l'industrie de la confection de vêtements, les entreprises mont-réalaises se déplacent dans de nouveaux édifices modernes et très vastes, d'abord dans le nord du Mile End dans les années 1970, puis, au cours de la décennie suivante, vers la Cité de la Mode, aux environs de la rue Chabanel. Peu à peu, la concurrence étrangère provoque la décrois-sance de ce secteur. Les édifices industriels de la rue Sainte-Catherine voient ainsi disparaître les ateliers de confection qu'ils abritaient depuis des décennies. Au cours des années 1980, il en reste encore quelques-uns dans les immeubles Jacobs et Belgo, mais leur sort est scellé. Au début du xxie siècle, ces deux immeubles sont désormais réputés pour accueillir des galeries d'art et des ateliers de créateurs.

Quant au Blumenthal, il est cité comme monument historique en 1990 et reconnu comme immeuble de valeur patrimoniale exception-nelle. Il abrite un temps des studios de photographes et des bureaux d'organismes culturels. En 2008, il est mis en valeur et héberge la Mai-son du Festival international de jazz de Montréal. De son côté, l'édifice Amherst semble perdre sa vocation industrielle plus tôt que les autres et est surtout utilisé pour loger les bureaux de divers organismes.

Le pôle industriel à l'angle de l'avenue De Lorimier disparaît lui aussi. Dès les années 1960, les activités de la Dominion Oil Cloth, devenue Domco, sont déménagées à l'usine de l'entreprise à Farnham, en Estrie. Les structures industrielles sont démolies et, quelques années plus tard, on aménage sur le site les studios de Radio-Québec (aujourd'hui Télé-Québec). Tout près, l'usine longtemps occupée par Carter White Lead est détruite par un incendie en 1999.

LA RÉINVENTION DE L'ARTÈRE COMMERCIALE

À la fin des années 1960, le visage commercial de la rue Sainte-Catherine conserve les traits qu'il a acquis depuis plusieurs décennies. Une poi-gnée de grands magasins y domine, certaines chaînes nationales ou américaines y ont des succursales, mais la plupart des établissements appartiennent à de petits commerçants enracinés dans le milieu mont-réalais. Plusieurs grands noms du commerce de détail y ont pignon sur rue depuis fort longtemps, même si leur entreprise a parfois changé de propriétaire : à côté des Dupuis, Morgan, Ogilvy, Eaton et Simpson, on retrouve encore les Birks, Willis, Archambault, Langelier, DeSerres, Gold et de nombreux autres. Puis, rapidement, tout est bouleversé. Des noms connus disparaissent, des entreprises bien établies basculent.

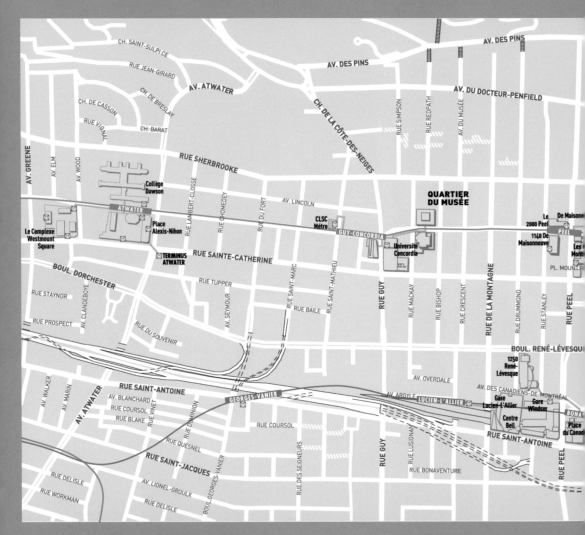

LA VILLE INTÉRIEURE
Les couloirs du réseau souterrain forment
plusieurs pôles distincts, dont la rue Sainte-
Catherine est l'axe central.

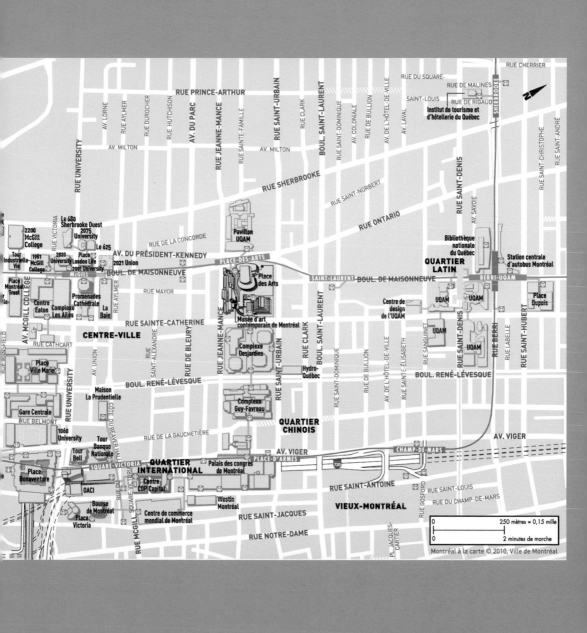

MAGASINER EN DE NOUVEAUX LIEUX

La primauté de la rue Sainte-Catherine est d'abord mise à mal par l'émergence des centres commerciaux (*shopping centers*), puis par leur implantation dans une banlieue toujours plus lointaine. Les premiers centres apparaissent à Montréal au début des années 1950, dans la foulée de la popularité croissante des supermarchés, notamment de la chaîne Steinberg. Ils desservent une clientèle essentiellement locale et se multiplient dans les quartiers de la ville et les municipalités de banlieue. En 1969, la région métropolitaine en compte déjà 130, mais la majorité a moins de 20 magasins et seulement huit en ont plus de 50.

L'ouverture du centre Fairview Pointe-Claire (1965), dans l'ouest de l'île, et des Galeries d'Anjou (1968), dans l'est, inaugure l'ère des méga-centres régionaux. Situés le long des autoroutes toutes neuves et offrant des milliers de places de stationnement, ils peuvent compter sur une clientèle importante dans un vaste rayon géographique. Tous les deux ont des succursales de Eaton et de Simpson, des supermarchés et des dizaines de magasins spécialisés. Bientôt, des centres semblables apparaissent à Laval et sur la Rive-Sud, puis plus loin encore. Offrant la possibilité de magasiner au chaud l'hiver et au frais l'été, de garer gratuitement son auto et de trouver en un même lieu aussi bien ses vêtements que son épicerie, ces centres gagnent la faveur des consommateurs qui délaissent en grand nombre la rue Sainte-Catherine.

Un seul véritable centre commercial, la Place Alexis-Nihon (1970), est établi le long de la rue, à l'angle de l'avenue Atwater. Il dispose d'un vaste garage intérieur et ses magasins sont répartis sur trois étages. Des tours de bureaux et d'appartements y sont greffées.

Plus conséquente pour la rue Sainte-Catherine est la multiplication

PLACE ALEXIS-NIHON

Le complexe est l'œuvre des architectes Harold Ship et Stanley King.

LES PROMEN*A*DES
de la cathédra*l*

des galeries de boutiques installées aux étages inférieurs des nouvelles tours de bureaux du centre-ville, suivant l'exemple donné par la Place Ville Marie (1962). On voit même s'ériger le long de la rue des galeries de boutiques imposantes, notamment celles du Complexe Desjardins (1976), des Terrasses (1976, devenues Centre Eaton en 1991), des Promenades de la Cathédrale (1988) et de la Place Montréal Trust (1988). Celles-ci deviennent des composantes de la ville souterraine, reliée aux stations de métro. Plusieurs consommateurs préfèrent le magasinage intérieur, à l'abri des intempéries. Le phénomène devient si important qu'en 1988, le centre-ville compte presqu'autant d'établissements hors rue que le long de ses voies.

LES BOUTIQUES ET LA MORT DES GRANDS MAGASINS

Indépendamment de la localisation — au centre ou en périphérie, à l'intérieur ou à l'extérieur — la véritable révolution qui marque le commerce de détail à partir des années 1970 est la montée fulgurante des grandes chaînes de boutiques spécialisées. Chacune a une niche particulière et vise un segment de la clientèle défini par l'âge, le sexe et le niveau de revenu. Chacune multiplie les points de vente, décorés à l'identique et offrant tous la même marchandise, très axée sur la mode du jour. Le phénomène touche particulièrement les secteurs du vêtement et de la chaussure, mais il s'étend aussi à d'autres produits, tels les meubles et les électroménagers.

Cela déstabilise les marchands généralistes et en particulier les grands magasins. Leurs établissements de la rue Sainte-Catherine ont l'allure d'immenses paquebots difficiles à manœuvrer et qui se préparent à couler. La première victime est Dupuis, que la famille a vendu en 1961. Les propriétaires successifs tentent de relancer l'entreprise et ouvrent quelques succursales. Le magasin de la rue Sainte-Catherine souffre cependant du dépeuplement et de l'appauvrissement du secteur Centre-Sud, tandis qu'une partie de sa clientèle francophone traditionnelle migre vers la banlieue. En 1972-1973, le site du magasin est complètement réaménagé pour permettre la construction de la Place Dupuis, mais cela

LE CENTRE EATON
Ses galeries marchandes s'étendent sur plusieurs niveaux (page de gauche).

UN LIEU FESTIF
Un des nombreux défilés qui parcourent la rue.

DE NOUVEAUX HABITS

L'immeuble de l'ancienne Banque des Cantons-de-l'Est, maintenant occupé par une boutique de vêtements.

n'aide pas l'entreprise. Dupuis fait faillite et son magasin-phare disparaît en 1978, après plus d'un siècle de présence sur la grande artère commerciale de Montréal.

De son côté, Ogilvy évite la fermeture définitive en se réinventant complètement, entre 1985 et 1987. Les quelques succursales implantées dans des centres commerciaux au cours des années 1960 sont alors abandonnées et le magasin de la rue Sainte-Catherine est transformé en un regroupement de boutiques de mode s'adressant à la couche la plus aisée de la population.

Le sort de Simpson est différent. Cette chaîne torontoise est rachetée en 1978 par la Compagnie de la Baie d'Hudson qui possède déjà les anciens magasins Morgan à Montréal. L'acquéreur continue à exploiter de façon distincte le magasin Simpson de la rue Sainte-Catherine et y entreprend même des rénovations en 1982. Le nouveau contexte du commerce de détail a cependant raison de l'établissement, qui ferme ses portes en 1989. L'immeuble est transformé quelques années plus tard pour loger notamment un complexe de salles de cinéma et une succursale du magasin de vêtements Simons, de Québec.

Le grand magasin le plus important de la rue Sainte-Catherine, celui de Eaton, tombe à son tour en 1999. C'est alors toute la chaîne Eaton qui

LA COMPAGNIE DE LA BAIE D'HUDSON

Les nouveaux atours de l'ancien Morgan (pages 180-181).

disparaît, mettant fin au règne de plus d'un siècle d'une grande dynastie canadienne. L'immeuble abandonné devient, en 2002, le Complexe Les Ailes, du nom de son principal locataire, le magasin haut de gamme Les Ailes de la Mode, dont le propriétaire, Boutiques San Francisco, fait faillite en 2005. Le complexe rassemble une soixantaine de magasins sur trois étages, tandis que les niveaux supérieurs sont transformés en bureaux de prestige.

À la fin du XXe siècle, il ne reste donc plus, le long de l'artère, qu'un seul des grands magasins traditionnels, l'ancien Morgan. Racheté par la Compagnie de la Baie d'Hudson dès 1960, il prend le nom de La Baie en 1972. Il est ainsi intégré à une vaste chaîne présente dans tout le Canada. En 2001, l'entreprise marque les 110 ans de son magasin de la rue Sainte-Catherine en y faisant des rénovations importantes.

Les bouleversements du commerce de détail affectent aussi ces généralistes traditionnels que sont les chaînes américaines de « 5-10-15 ». La plus célèbre, Woolworth, présente rue Sainte-Catherine depuis 1913, y ferme toutes ses succursales en 1993. Quant à Kresge, qui a établi deux magasins le long de la voie en 1936, elle abandonne celui de l'est dès 1962 et celui de l'ouest dans les années 1980.

L'AUTRE VIE DES SUCCURSALES BANCAIRES

Celle de l'ancienne Banque d'Épargne est elle aussi transformée en boutique.

LA VITRINE COMMERCIALE DE PRESTIGE

La rue Sainte-Catherine a bien piètre figure au début des années 1990. La récession qui frappe alors, la deuxième en dix ans, fait particulièrement mal. De petits commerçants indépendants sont emportés, tout comme les succursales des chaînes les plus fragiles financièrement. La multiplication des magasins de T-shirts et des bureaux de change témoigne d'une réduction de la qualité de l'offre commerciale. Les vitrines vides ajoutent à l'effet dépressif. Entre les avenues Atwater et De Lorimier, 10 % des locaux commerciaux sont vacants en 1993, mais la proportion est plus élevée à l'ouest de la rue Peel. Le cœur de l'artère, entre les rues Peel et Jeanne-Mance, résiste mieux.

L'activité commerciale redémarre à partir de 1994 et la rue Sainte-Catherine vit une véritable renaissance. Le phénomène dominant est l'arrivée de succursales des grandes chaînes de boutiques, surtout celles qui œuvrent dans la vente de vêtements. Déjà bien implantées dans les galeries et les centres commerciaux, celles-ci veulent aussi être présentes sur l'artère la plus réputée de la métropole. Leur magasin y devient leur adresse la plus prestigieuse dans la région montréalaise et une vitrine mettant en valeur l'entreprise et ses produits. Ces chaînes sont donc à la recherche d'un emplacement bien situé dans un segment achalandé. Elles sont disposées à y mettre le prix et la demande fait grimper les valeurs locatives. Avec leur architecture de qualité, leurs matériaux nobles et le volume bien dégagé de leur rez-de-chaussée, les petits immeubles construits autrefois par des banques sont particulièrement recherchés.

Les boutiques de la rue Sainte-Catherine attirent une clientèle jeune et branchée, bien au fait des dernières tendances de la mode, à la recherche de vêtements et de chaussures qui se distinguent. Elles attirent aussi bon nombre de touristes qui y trouvent une offre de produits et des prix différents de ceux de leur lieu de résidence.

Ainsi, au début du XXIe siècle, la rue Sainte-Catherine, surtout au centre-ville, conserve tout son attrait. Des foules nombreuses s'y baladent le jour et le soir. La renaissance commerciale ne touche cependant qu'une partie de la voie, au cœur de la ville. Dans certains quartiers, la décrépitude est évidente et persiste longtemps.

LE FOYER CULTUREL

La vie culturelle montréalaise devient, après 1960, beaucoup plus vivante et diversifiée que pendant tout le siècle précédent. Elle est aussi plus dispersée dans l'espace urbain, même si la rue Sainte-Catherine en reste le foyer principal. De nouveaux lieux de création et de diffusion se constituent, tandis que d'autres disparaissent ou sont transformés.

EFFERVESCENCE ET FRAGMENTATION DE L'OFFRE CULTURELLE

La Révolution tranquille des années 1960 libère la parole québécoise et entraîne une effervescence culturelle qui se prolonge au cours des décennies suivantes. Poètes, chanteurs, romanciers, peintres, danseurs, comédiens et autres artistes sont de plus en plus nombreux à s'exprimer. Les établissements se multiplient et le milieu se professionnalise grâce à l'appui financier de mécènes et surtout aux subventions des trois paliers de gouvernement.

Montréal est au cœur de l'action. La création, la production et la diffusion de la nouvelle culture québécoise se concentrent principalement dans la ville, renforçant sa position de métropole, non seulement économique mais aussi culturelle, du Québec. Ce rôle dépasse bientôt les frontières nationales et Montréal devient l'un des pôles majeurs du réseau de la francophonie, qui s'étend sur tous les continents.

La croissance phénoménale de l'offre s'accompagne d'une fragmentation et d'une dispersion des lieux culturels dans l'espace montréalais. Les grandes artères-phares (Sainte-Catherine, Saint-Laurent et Saint-Denis) ne sont plus seules à les accueillir. Un peu partout dans la ville, des structures anciennes — des usines, des garages, des banques, des bureaux de poste ou des stations de pompiers — sont recyclées en centres de création ou de diffusion. La Ville de Montréal établit, dans les années 1980, son réseau des Maisons de la culture et certaines municipalités de banlieue créent leur propre centre culturel. Avec son complexe de la Place des Arts et les salles environnantes, la rue Sainte-Catherine reste tout de même au cœur de l'activité culturelle montréalaise.

DES MONUMENTS DISPARUS

À la fin du xxᵉ siècle, on voit disparaître de la rue Sainte-Catherine de véritables monuments qui l'ornaient depuis des décennies : d'une part, les palaces de cinéma, d'autre part, le Forum.

La fréquentation des salles de cinéma avait commencé à décliner après l'arrivée de la télévision. À partir des années 1980, la possibilité de louer des films sur bandes vidéo et de les visionner à la maison lui porte un nouveau coup. De surcroît, la rue Sainte-Catherine est défavorisée par les coûts du stationnement au centre-ville, alors qu'il est gratuit dans les cinémas de la banlieue. Les grands palaces de l'artère, avec leurs 2000 à 3000 places, ne sont plus adaptés à la nouvelle réalité.

La première solution est l'aménagement de multiplexes comprenant quelques salles plus petites et mettant à l'affiche plusieurs films simultanément. De nouveaux établissements de ce type ouvrent leurs portes dans des galeries marchandes : au Faubourg Sainte-Catherine, aux Cours Mont-Royal, au Centre Eaton, et au Complexe Desjardins. Leur

LA DERNIÈRE SOIRÉE AU FORUM

Le 11 mars 1996, les Canadiens y jouent leur dernière partie avant le déménagement à leur nouvel amphithéâtre.

durée de vie est assez courte, puisqu'ils seront tous disparus au tournant du siècle. Trois des quatre grands palaces sont aussi convertis en multiplexes. Le Capitol est carrément fermé en 1973, mais deux ans plus tard, le Parisien est divisé en cinq salles et le Loew's fait de même en 1976. Quant au Palace, il compte six salles à partir de 1981. Là aussi, la mode des multiplexes s'estompe devant la popularité des mégaplexes pouvant contenir jusqu'à une vingtaine de salles. Le Loew's ferme définitivement en 1999, le Palace l'année suivante, puis le Parisien en 2007.

Toutes les autres salles de cinéma situées rue Sainte-Catherine sont abandonnées ou transformées au cours de la période. Dans Maisonneuve, celle du Granada est convertie en théâtre en 1977 et prend le nom de Denise-Pelletier. Plus près du boulevard Saint-Laurent, le cinéma Éros (l'ancien Théâtre Français) ferme en 1981, puis devient en 1987 le Métropolis, une salle de spectacle pouvant accueillir plus de 2000 personnes. En 2010, il ne reste plus, rue Sainte-Catherine, que deux mégaplexes de cinéma, aménagés au tournant du XXIe siècle, le Paramount/Banque Scotia et l'AMC Forum.

Contrairement aux salles de cinéma, le vaste Forum de Montréal ne ferme pas ses portes à cause d'une perte de clientèle. Certes, le club de hockey Canadien n'a plus, en 1996, le panache qu'il avait encore dans les années 1970, quand il avait remporté quatre coupes Stanley successives, mais ses partisans montréalais lui restent très attachés. L'immeuble avait été complètement transformé en 1968, mais 30 ans plus tard, il porte le poids des ans et répond moins aux besoins de l'heure. Ses propriétaires veulent un amphithéâtre plus grand, offrant une meilleure visibilité et doté de la technologie la plus moderne. Ils veulent aussi qu'il puisse être utilisé plus souvent pour la présentation de spectacles de grandes vedettes de la musique ou de la chanson, quand il n'est pas requis pour les matchs de hockey. Ce nouveau lieu sera le Centre Molson (rebaptisé Centre Bell en 2002). La dernière partie des Canadiens au vieux Forum est jouée le 11 mars 1996 et donne lieu à beaucoup d'émotions.

LA PRÉSENCE UNIVERSITAIRE

La création de nouvelles universités à Montréal a des effets rue Sainte-Catherine. L'Université du Québec à Montréal (UQAM) ouvre ses portes en 1969 et, dès l'année suivante, elle loue des locaux dans un immeuble à l'angle de la rue De Bleury, bien que la majorité de ses pavillons soient

LE RETOUR D'UNE UNIVERSITÉ DANS LE QUARTIER LATIN

Au début des années 1960, le Québec, et plus particulièrement Montréal, doit faire face à une hausse de la clientèle universitaire francophone. Plusieurs avenues sont proposées afin de résoudre ce problème. La solution vient du gouvernement du Québec, qui crée un réseau d'universités publiques, dont un campus sera établi à Montréal. L'Université du Québec à Montréal est alors mise sur pied à partir d'établissements existants. Les écoles et les professeurs des écoles normales Jacques-Cartier, Ville-Marie, de l'enseignement technique ainsi que l'École des Beaux-Arts de Montréal et le Collège Sainte-Marie y sont intégrés. À l'ouverture de l'UQAM en 1969, les étudiants doivent suivre leurs cours dans 14 pavillons éparpillés dans le centre-ville.

Dix ans plus tard, les pavillons Judith-Jasmin et Hubert-Aquin, situés à l'angle des rues Sainte-Catherine et Saint-Denis, ouvrent leurs portes. Ils forment le cœur du campus de l'UQAM. Leur inauguration marque le retour des activités universitaires dans le Quartier latin. L'ancienne École polytechnique (1905-1958) est d'ailleurs reconvertie en 1992 pour en faire le centre administratif de l'université. Le pôle des sciences est implanté plus à l'ouest, dans le quadrilatère de l'avenue du Président-Kennedy et des rues Jeanne-Mance, Sherbrooke et Saint-Urbain.

La rue Sainte-Catherine est au cœur du développement du campus de l'UQAM. L'université loue en 1984 l'ancien édifice Labelle, dès lors appelé pavillon Sainte-Catherine. Trois nouveaux immeubles sont construits dans les années 1990: ceux de l'École des sciences de la gestion (1992), du Design (1996) et le J.A.-DeSève (1999). En 2005, elle occupe le petit édifice du 279 Sainte-Catherine Est. En quelques décennies, l'UQAM a profondément transformé l'image de la rue dans l'est de la ville. (GLG)

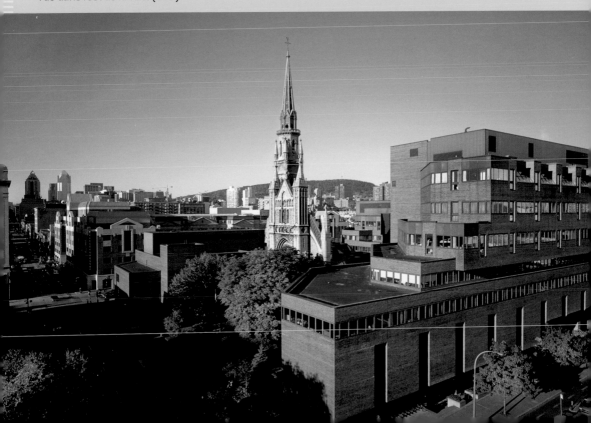

situés plus au sud. L'UQAM doit attendre dix ans avant de s'installer dans son campus permanent, à l'angle de la rue Saint-Denis, là même où se trouvaient autrefois l'immeuble de l'Université de Montréal et l'église Saint-Jacques.

En 1974, la fusion de l'Université Sir George Williams et du Collège Loyola donne naissance à l'Université Concordia. Ses premiers pavillons sont surtout situés dans l'axe du boulevard De Maisonneuve, mais à la fin du xxe siècle, l'établissement lance un programme d'expansion qui l'amène vers la rue Sainte-Catherine. Le pavillon intégré Génie, informatique et arts visuels, d'une hauteur de 17 étages, est inauguré en 2005 et laisse une empreinte architecturale importante.

Les deux universités sont d'abord des lieux d'enseignement et de recherche scientifique. Elles attirent rue Sainte-Catherine et dans les environs des dizaines de milliers d'étudiants chacune, auxquels s'ajoutent ceux de l'Université McGill, tout près. Ce sont aussi des lieux de création culturelle et de débats sociaux qui cherchent à s'ouvrir sur le milieu environnant.

LE PÔLE DE LA PLACE DES ARTS

Sur le plan de l'activité culturelle, au sens plus restreint de la création artistique, la Place des Arts est incontestablement le lieu de diffusion le plus important de la rue et de toute la ville.

La Place des Arts est d'abord au cœur de la vie musicale montréalaise. Elle reçoit les orchestres, les chanteurs et les musiciens de l'étranger en tournée. Elle accueille les spectacles de nombreux artistes québécois dans diverses disciplines. L'Opéra de Montréal y est l'une des compagnies en résidence et y donne ses représentations d'art lyrique depuis 1980. D'autres ensembles montréalais, tels I Musici et Pro Musica, s'y produisent aussi, notamment au Théâtre Maisonneuve. Surtout, dès son ouverture en 1963, la Place des Arts loge en permanence l'Orchestre symphonique de Montréal, qui donne la plupart de ses concerts à la Salle Wilfrid-Pelletier. En 2006, après plusieurs décennies de discussions, le gouvernement du Québec annonce la construction d'une nouvelle salle, spécifiquement adaptée aux besoins de l'orchestre. Elle est située au coin nord-est du site de la Place des Arts. Les travaux de construction sont lancés en 2009 et doivent être terminés en 2011.

LE NOUVEAU VISAGE DE L'UNIVERSITÉ CONCORDIA

Le pavillon intégré Génie, informatique et arts visuels (page de gauche).

UNE PLACE EN MOUVEMENT

Le quadrilatère dans lequel niche la Place des Arts depuis son inauguration a subi de nombreuses transformations au fil des ans. En 1958, l'immeuble ayant abrité l'Institut Nazareth, devenu plus tard un orphelinat, est démoli, et l'année suivante, une trentaine d'immeubles sont expropriés. Les travaux de construction débutent en 1961 et l'inauguration de la Grande Salle se déroule le 21 septembre 1963. Montréal bénéficie enfin de l'une des plus grandes scènes multifonctionnelles au pays – avec près de 3000 fauteuils, une fosse et une conque d'orchestre automatisées –, où sont présentés des spectacles à grand déploiement. En 1966, la station de métro Place-des-Arts est aménagée en prélude à l'ajout, en 1967, de l'Édifice des théâtres, inauguré spécialement pour présenter de nombreux spectacles dans le cadre du Festival mondial, important événement en marge d'Expo 67. À la Grande Salle, renommée Salle Wilfrid-Pelletier, s'ajoutent ainsi le Théâtre Maisonneuve et le Théâtre Port-Royal, aujourd'hui appelé Théâtre Jean-Duceppe en hommage à l'homme de théâtre québécois. Le théâtre du Café de la Place est inauguré en 1978 et cette petite salle de 125 fauteuils porte maintenant le nom de Studio-théâtre. En 1992, le Musée d'art contemporain de Montréal

LE THÉÂTRE DU NOUVEAU MONDE
De biais avec la Place des Arts, cet immeuble a été transformé par l'architecte Dan S. Hanganu.

s'installe dans le quadrilatère et du même coup, la Cinquième Salle s'ajoute à la Place des Arts, ce qui porte le nombre de fauteuils des cinq salles à 6000. En 1993, l'esplanade de la Place des Arts est mise en valeur, notamment par l'aménagement du Jardin des sculptures du Musée d'art contemporain. En 2009, la construction d'une nouvelle salle de concerts de 1900 places débute à l'angle nord-ouest du quadrilatère. De concept *shoebox,* dont la réalisation vise un rendement acoustique optimal, la salle est principalement destinée à l'Orchestre symphonique de Montréal. Cette même année, la Place des Arts entreprend le réaménagement de ses espaces intérieurs, dans lesquels on trouve une nouvelle billetterie, une salle d'exposition, de nouvelles aires de restauration et une petite scène. Les entrées des cinq salles de spectacle sont mises en valeur, de même que la marquise extérieure de la Place des Arts, au 275 de la rue Sainte-Catherine Ouest, qui déploie une entrée à la mesure de son statut de plus important diffuseur d'arts de la scène au Québec. (CSL)

LA NOUVELLE SALLE DE CONCERTS

Destinée à l'Orchestre symphonique de Montréal, elle est mise en chantier en 2009, selon les plans des architectes Aedifica et Diamond + Schmitt.

LA PLACE DES ARTS LA NUIT

Le complexe culturel prend un autre visage grâce au Plan lumière (pages 196-197).

La Place des Arts est aussi un des hauts lieux du théâtre au Québec, surtout grâce au Théâtre Port-Royal, inauguré en 1967. Cette salle est d'abord occupée par le Théâtre du Nouveau Monde, l'une des plus anciennes compagnies permanentes à Montréal. Celui-ci déménage tout à côté en 1972, s'installant dans ses propres meubles après avoir fait l'acquisition de la salle de la Comédie-Canadienne. L'année suivante, la Compagnie Jean-Duceppe, qui vient d'être créée, s'installe en permanence au Port-Royal. Après la mort de son fondateur, la salle où joue la compagnie est rebaptisée Théâtre Jean-Duceppe. La Place des Arts contribue aussi au développement de la danse puisque Les Grands Ballets canadiens y sont l'une des compagnies résidantes.

En 1992, le Musée d'art contemporain de Montréal s'installe à l'angle sud-est du quadrilatère de la Place des Arts, dans un immeuble construit expressément pour lui. À sa fondation par le gouvernement du Québec en 1964, c'était le premier musée exclusivement consacré à l'art contemporain au Canada.

Ainsi, la Place des Arts est devenue au fil des ans un centre culturel multidisciplinaire, dans l'esprit de ce qui avait été conçu à l'origine. Autour de son site gravitent d'autres établissements culturels, dont des salles de spectacle, des galeries d'art et bientôt le 2-22 rue Sainte-Catherine Est. Particulièrement important est le Spectrum, installé près de la rue De Bleury, dans un ancien cinéma. Pendant un quart de siècle, cette salle présente des concerts de chanteurs et de groupes renommés, tant québécois qu'internationaux ; elle ferme ses portes en 2007. Le pôle culturel gravitant autour de la Place des Arts devient encore plus animé quand s'y amènent les grands festivals.

DES FESTIVALS AU QUARTIER DES SPECTACLES

Le Festival des films du monde, fondé en 1977, inaugure l'ère des grands rassemblements thématiques estivaux dans la métropole. Il gravite autour de la rue Sainte-Catherine puisque ses projections sont longtemps présentées au cinéma Loew's, puis au Parisien, et enfin à l'Impérial, tout près.

Une nouvelle ère débute en 1980, avec l'apparition de rendez-vous culturels qui, en plus de présenter des spectacles en salle, ont comme caractéristique commune d'occuper pendant quelques jours un espace public — une rue, un parc ou les quais du Vieux-Port — pour y offrir des

RENFORCER LE PÔLE CULTUREL

Le projet du Quartier des spectacles est lancé au début des années 2000. L'objectif est alors de favoriser le regroupement des entreprises culturelles dans un même secteur de la ville. Le quartier s'articule autour des pôles de la rue Sainte-Catherine et de la Place des Arts. Il est délimité par les rues Sherbrooke, René-Lévesque, Berri et City Councillors. La rue Sainte-Catherine en est le cœur. Sur 1 km carré, on y retrouve 30 salles de spectacle et 130 entreprises de diffusion culturelle.

Une première phase des travaux débute en 2008 avec l'aménagement de la place des Festivals, inaugurée l'année suivante. Comme son nom l'indique, cette vaste place, située le long de la rue Jeanne-Mance, au nord de la rue Sainte-Catherine, est vouée à la présentation de spectacles en plein air lors des festivals, tels les FrancoFolies, le Festival de jazz de Montréal et Juste pour rire. L'aménagement de la rue Sainte-Catherine est également modifié afin de faciliter la tenue des festivals, mais aussi pour marquer sa place centrale dans le quartier. La rue et les édifices du quartier sont mis en valeur par le Plan lumière. D'autres travaux prévoient l'aménagement d'une promenade et d'un parterre du côté du boulevard De Maisonneuve. Le Quartier des spectacles comprend aussi la mise en valeur de bâtiments, dont le Blumenthal, rue Sainte-Catherine, qui est transformé en Maison du Festival de jazz. Une nouvelle salle est mise en chantier sur l'esplanade de la Place des Arts pour loger l'Orchestre symphonique de Montréal. (GLG)

LE QUARTIER DES SPECTACLES

Version préliminaire (2004) de la mise en plan de la vision du Quartier des spectacles, dont divers éléments seront modifiés par la suite. Cette maquette illustre l'ampleur du projet.

représentations gratuites en plein air. Cela commence avec le Festival international de jazz de Montréal. Celui-ci est bientôt imité par le festival Juste pour rire, consacré à l'humour, par les FrancoFolies, mettant à l'honneur la chanson francophone, par Présence autochtone, célébrant la culture des Premières Nations, et par divers autres événements dont les nombreuses manifestations associées à des communautés ethno-culturelles et, en hiver, le festival Montréal en lumière.

Le Festival de jazz est le premier à déménager rue Sainte-Catherine, face à la Place des Arts, à partir de 1989. Chaque année, fin juin-début juillet, la circulation sur la voie est interrompue, des scènes temporaires sont érigées et des dizaines de milliers de spectateurs envahissent la rue pour profiter des spectacles gratuits de grandes vedettes ou de

LA PLACE DES FESTIVALS
Elle est aménagée rue Jeanne-Mance, à l'angle de la rue Sainte-Catherine.

groupes émergents. Le succès du Festival international de jazz de Montréal, qui devient le plus important du monde, et son rayonnement international accroissent la réputation du caractère festif de la rue Sainte-Catherine. Au début du XXIe siècle naît l'idée de confirmer ce statut en faisant de la rue l'épicentre des festivals montréalais.

Pour cela, il faut planifier une reconfiguration de l'espace urbain aux alentours de l'îlot de la Place des Arts. On choisit l'appellation Quartier des spectacles pour désigner cette opération. Un partenariat réunit les principaux intervenants dès 2003 et, quatre ans plus tard, l'arrondissement Ville-Marie de la Ville de Montréal élabore un Programme particulier d'urbanisme. Les travaux s'étendent sur quelques années à partir de 2008. L'une des composantes principales du projet est l'aménagement de la place des Festivals le long de la rue Jeanne-Mance, entre la rue Sainte-Catherine et le boulevard De Maisonneuve, inaugurée en 2009. Cela amène d'autres festivals, notamment les FrancoFolies, Juste pour rire et Présence autochtone, à y déménager leurs activités en plein air.

DU JAZZ À MONTRÉAL

Qu'ils soient des mélomanes avertis ou simplement des spectateurs intéressés à profiter de l'ambiance conviviale des lieux, les Montréalais ont fait du Festival international de jazz de Montréal l'événement-phare de la saison estivale.

Après avoir connu des débuts modestes sur le site de Terre des Hommes, en 1980, le festival prend son envol en profitant de l'achalandage de la rue Saint-Denis. Le succès aidant, certains spectacles sont présentés dès 1986 sur un nouveau site situé dans l'aire délimitée par la Place des Arts, le Théâtre du Nouveau Monde, le Complexe Desjardins et le Spectrum. C'est aussi à ce moment qu'apparaît une nouvelle pratique, qui devient rapidement une tradition : la présentation d'un spectacle-événement gratuit sur une scène extérieure.

À compter de ce moment, le festival connaît un essor fulgurant. Non seulement les plus grands noms du jazz s'y retrouvent, mais le nombre considérable d'activités gratuites attire un public conquis. Des musiciens et chanteurs réputés participent à l'événement, dont Ray Charles, Miles Davis, Pat Metheny, Ella Fitzgerald, Charlie Haden, Oscar Peterson et Wynton Marsalis. Près de deux millions de spectateurs sont au rendez-vous chaque année. Le succès du festival n'est donc pas étranger à la création d'autres événements culturels populaires, notamment par le même producteur, Spectra, qui organise les FrancoFolies de Montréal et Montréal en lumière.

L'esplanade de la Place des Arts, la rue Sainte-Catherine et la rue Jeanne-Mance accueillent ainsi, pendant plus de 25 ans, des centaines de spectacles et des millions de spectateurs et touristes, parfois à l'étroit dans des espaces mal adaptés à la tenue d'aussi grands événements. Le festival devient par le fait même l'un des moteurs qui favorise la formation du Quartier des spectacles. En 2009, pour sa 30e édition, l'événement se déploie enfin sur la toute nouvelle place des Festivals, rue Jeanne-Mance. Cette même année, la Maison du Festival de jazz est aussi inaugurée dans l'édifice Blumenthal.

Le Festival international de jazz de Montréal a fortement contribué à faire de Montréal une destination reconnue à travers le monde pour la grande qualité de ses festivals. (CSL)

LES FRANCOFOLIES
Elles attirent aussi la foule en 2005.

LES RUES SAINTE-CATHERINE :
DES PAYSAGES CONTRASTÉS

Le paysage de la rue Sainte-Catherine est profondément affecté par les bouleversements qui surviennent entre 1970 et 2010. Cela touche aussi bien le cadre bâti que les activités qui y prennent place. Depuis sa naissance, la rue a toujours présenté des visages différents selon les quartiers traversés, mais cette diversité apparaît encore plus contrastée au tournant du XXIᵉ siècle. Le visiteur qui parcourt alors l'artère d'un bout à l'autre peut avoir l'impression qu'il existe plusieurs rues Sainte-Catherine.

L'EXTRÊME OUEST : LA DENSITÉ RÉSIDENTIELLE

Dans l'ouest, la rue traverse d'abord la ville de Westmount. Cette enclave de banlieue est réputée former le secteur le plus cossu de l'agglomération montréalaise. La voie y a depuis longtemps un caractère surtout résidentiel. L'habitat collectif y prédomine avec les immeubles d'appartements. Certains, tel le Westmount Park, sont là depuis longtemps, mais plusieurs nouvelles tours sont érigées. Parmi celles-ci, le Château Westmount Square (1989), à l'angle de l'avenue Greene, compte 22 étages. La fin du XXᵉ siècle s'accompagne donc d'un accroissement de la densité résidentielle. Par ailleurs, plusieurs nouveaux immeubles de bureaux s'ajoutent le long de l'artère, notamment de part et d'autre des avenues Lansdowne et Greene. Entre cette dernière et l'avenue Atwater, le paysage est fortement marqué par la présence du complexe Westmount Square (1969), conçu par l'architecte germano-américain Mies van der Rohe, et la Place Alexis-Nihon (1970) à laquelle une troisième tour est ajoutée en 1983. Des commerces de proximité jalonnent la rue tout au long de son parcours westmontois.

VIVRE EN HAUTEUR À WESTMOUNT
Érigée en 1989, cette tour de 22 étages illustre bien les tendances qui caractérisent le secteur résidentiel à la fin du XXᵉ siècle.

En territoire montréalais, la rue Sainte-Catherine traverse, entre l'avenue Atwater et la rue Guy, une autre zone de haute densité résidentielle parsemée de nombreuses tours d'habitation érigées à partir des années 1960. Celles-ci ne se trouvent pas le long de l'artère, mais sur les rues avoisinantes. Pour desservir cette population, un promoteur a l'idée, en 1986, d'aménager dans un ancien garage une place de marché intérieure comprenant plusieurs boutiques d'alimentation et des restaurants. Baptisée Faubourg Sainte-Catherine, elle a beaucoup de cachet et draine une clientèle importante à ses débuts, mais elle perd son attrait au fil des ans. Cela reflète l'évolution de tout ce segment de la rue qui devient moins recherché à la fin du XXe siècle, offrant surtout des établissements de restauration minute et des magasins de produits bas de gamme. La récession de 1990-1992, puis la fermeture de l'amphithéâtre du Forum contribuent à ce déclin. En 2005, le nouveau pavillon de l'Université Concordia donne malgré tout une nouvelle allure à une partie délabrée de la voie.

UN COMPLEXE-PHARE

Dans les années 1960, le Mouvement Desjardins est en pleine croissance et veut faire ériger un édifice multifonctionnel qui accueillera ses bureaux. Desjardins choisit de s'installer à l'est du centre-ville, plus près de la clientèle francophone, face à la Place des Arts, récemment inaugurée. Ce projet, réalisé avec la participation du gouvernement du Québec, devient un symbole de l'essor économique des Canadiens français. L'ensemble est conçu pour une entreprise francophone, par des francophones.

Le Complexe Desjardins comprend trois tours de bureaux de hauteurs différentes. Elles abritent les diverses sociétés financières de Desjardins, des services gouvernementaux et d'autres locataires. Une quatrième tour, de moindre envergure, est occupée par un hôtel. L'ensemble est complété par un basilaire entouré de mezzanines occupées par des magasins et des restaurants. Cet espace ouvert, ensoleillé par de grandes verrières, devient un point de rassemblement au centre-ville, 365 jours par an. Le complexe fait partie du réseau piétonnier souterrain reliant la Place des Arts au Palais des Congrès. Les diverses activités du complexe attirent près de 30 000 personnes par jour. (GLG)

UN VASTE CHANTIER

Le futur Complexe Desjardins occupe un quadrilatère entier en face de la Place des Arts.

LE CENTRE-VILLE : UN NOUVEAU *LOOK*

À l'est de la rue Guy commence le segment identifié au centre-ville moderne. Ce dernier, poursuivant sur sa lancée des années 1960, se développe de façon importante pendant les deux décennies suivantes. La majorité des nouveaux immeubles sont construits le long du boulevard De Maisonneuve et de la rue Sherbrooke, mais cette fois, contrairement à la période précédente, la rue Sainte-Catherine a aussi sa part. Quelques nouvelles constructions contribuent à en moderniser l'image.

L'ensemble le plus important, le Complexe Desjardins (1976), occupe un quadrilatère complet entre les rues Jeanne-Mance et Saint-Urbain, face à la Place des Arts. Avec ses trois tours de bureaux, son grand hôtel, sa galerie de boutiques sur trois niveaux, il marque l'architecture de la rue. Sa grande place intérieure, où se succèdent expositions et émissions de télévision, est pendant plusieurs années un lieu d'animation très fréquenté. Sa construction revêt aussi une signification symbolique puisqu'elle affirme la présence au centre-ville du plus grand établissement financier francophone du pays, le Mouvement Desjardins.

UNE PRÉSENCE FORTE

Une fois complété, le Complexe Desjardins marque de façon importante le paysage urbain de Montréal.

LA PLACE MONTRÉAL TRUST

Elle est située le long de l'avenue McGill College. À l'avant-plan, sa galerie marchande donne sur la rue Sainte-Catherine (à gauche).

RUE CRESCENT

Les amateurs de course automobile célèbrent en plein air au moment du Grand Prix du Canada (à droite).

Au cœur du segment, la galerie de boutiques de la place Montréal Trust (1988) débouche sur la rue, mais sa tour de bureaux de 30 étages est plutôt située avenue McGill College. Tout près, aux Promenades de la Cathédrale (1988), la galerie commerciale est souterraine et la tour, derrière la cathédrale anglicane Christ Church, donne sur le boulevard De Maisonneuve. L'un et l'autre complexe marquent tout de même de façon importante le paysage de la rue. L'immeuble du Centre Eaton (auparavant Les Terrasses, 1976) représente aussi une addition remarquée à la trame architecturale. D'autres édifices, tels ceux de Simpson et de Eaton ou les anciens palaces de cinéma, font l'objet de transformations substantielles de leur structure intérieure. Presque partout, les façades sont modifiées, au moins au rez-de-chaussée, tandis que les vitrines et les enseignes sont modernisées. Le changement visuel le plus marquant résulte de la francisation de la langue d'affichage.

Tout ce segment de la rue Sainte-Catherine est principalement consacré au commerce de détail. On y trouve aussi des établissements de restauration et de divertissement, mais dans ce domaine, l'action se passe surtout dans les rues transversales. Particulièrement exemplaire est le cas des rues Crescent et de la Montagne, où d'anciennes maisons bourgeoises sont transformées en cafés ou en restaurants. Dès les années 1970, ces deux rues atteignent une renommée qui dépasse le quartier et deviennent l'épicentre de la sociabilité et de la convivialité anglophones à Montréal. Cela contribue à accroître l'achalandage de la rue Sainte-Catherine.

UNE ZONE TAMPON À REDÉFINIR

Passé la rue Clark, le visiteur parcourt à nouveau une zone délabrée, sorte de *no man's land* entre les parties ouest et est de la rue Sainte-Catherine. Jusqu'à la rue Sanguinet, ce segment est le plus ancien de l'histoire de la rue : certains tronçons ont été tracés dès les années 1760. Ils ont évidemment été transformés depuis ce temps, mais le poids des ans est visible. Des maisons du XIXe siècle, avec leur toit en pente ou en mansarde et leurs lucarnes, y côtoient quelques immeubles en hauteur du début du XXe siècle. Ce segment était au cœur de l'ancien Red Light et végète depuis que ce dernier s'est éteint. Les casse-croûtes y côtoient les petits restaurants vietnamiens et les établissements érotiques, y compris le 281, célèbre pour ses danseurs nus.

Le changement le plus notable est provoqué par l'installation de l'UQAM (1979). Ses premiers pavillons sont construits à l'est de la rue Saint-Denis, mais par la suite, la plupart des autres immeubles seront

LA PLACE ÉMILIE-GAMELIN

Occupant tout un quadrilatère, cette place, aménagée en 1992, accueille diverses manifestations culturelles.

situés de l'autre côté, jusqu'à l'avenue de l'Hôtel-de-Ville. Le campus de l'UQAM transforme peu à peu le paysage architectural et social de l'artère. Avec la venue de cet établissement se recrée l'esprit du Quartier latin, disparu quelques décennies auparavant. Toutefois, les retombées de la convivialité étudiante (bars, brasseries, cafés, restaurants) sont plus perceptibles rue Saint-Denis que rue Sainte-Catherine.

Les projets de l'UQAM entraînent, en 1974, la fermeture d'une véritable institution, la quincaillerie Omer DeSerres, après plus de 60 ans de présence ininterrompue à l'angle de la rue Saint-Denis. L'entreprise n'abandonne pas complètement l'artère commerciale puisqu'elle y maintient un magasin de matériel d'artiste, point de départ d'une véritable chaîne de boutiques spécialisées.

Entre les rues Berri et Saint-Hubert se déploie la place Émilie-Gamelin (auparavant place du Quartier-latin), ainsi nommée en l'honneur de la fondatrice des sœurs de la Providence, propriétaires de tout le quadrilatère dès le XIXᵉ siècle. Elles y ont érigé un ensemble d'immeubles que la Ville fait démolir vers 1962, après avoir acquis le terrain. Celui-ci est en effet retenu pour la construction de la principale station (Berri-de-Montigny, puis Berri-UQAM) du nouveau réseau de métro, où trois lignes se croisent. Une fois les travaux terminés, le terrain est transformé en stationnement en attendant d'attirer l'intérêt d'un éventuel promoteur qui ne viendra jamais. En 1985, on prévoit y ériger la salle de

UNE TRANCHE DE VIE URBAINE
Un segment de la rue Sainte-Catherine Est, en 1974 (page de gauche).

LES FOUFOUNES ÉLECTRIQUES
Ouvert en 1983 et ensuite agrandi, cet établissement joue un rôle essentiel dans la diffusion de la culture *underground* à Montréal (à gauche).

LE NOUVEAU RED LIGHT
Cette affiche souligne la présence continue des spectacles érotiques, rue Sainte-Catherine et dans les environs (à droite).

l'Orchestre symphonique de Montréal, mais le projet avorte. Trois ans plus tard, la Ville décide d'y aménager un square public, inauguré en 1992. Cet espace devient un lieu d'animation et de festivités où sont présentés plusieurs spectacles.

DU CENTRE-VILLE DE L'EST AU VILLAGE GAI

D'autres visages de la rue Sainte-Catherine se dessinent à partir de la rue Saint-Hubert. Là, la voie traverse le sud des anciens quartiers Saint-Jacques et Sainte-Marie, un secteur désormais désigné sous le nom de Centre-Sud. Ce vaste territoire est depuis longtemps parsemé d'usines et habité par une population ouvrière. Tout y bascule à partir des années 1960. Les familles qui en ont les moyens vont s'établir dans d'autres quartiers ou dans la banlieue, dans des habitations plus modernes. Puis les usines ferment les unes après les autres, laissant derrière elles des milliers de chômeurs. Le secteur vit donc une détérioration sociale marquée.

Depuis le XIXe siècle, ce segment de la rue Sainte-Catherine formait le pôle commercial de l'est de la ville, avec Dupuis comme chef de file. Les magasins s'y succédaient tout au long de la voie et attiraient une clientèle importante, essentiellement francophone. De temps à autre surgit l'idée d'y construire un véritable centre-ville de l'est, franco-phone, qui serait le pendant de celui de l'ouest, anglophone. Déjà, en 1912, l'édifice Dandurand témoignait de ce projet. La construction de la Place Dupuis (1972-1973) s'inscrit dans cette logique. Avec un grand hôtel, des tours de bureaux et une galerie commerciale, ce complexe ambitieux dépasse tout ce qui l'entoure. Sa présence n'a cependant pas l'effet d'entraînement souhaité et le projet de centre-ville de l'est ne se matérialise pas. Pire, le pôle commercial de l'est cesse d'attirer une clientèle régionale et se désagrège peu à peu. La déconfiture de Dupuis illustre bien ce déclin.

Un autre projet, celui d'une Cité des Ondes, qui avait été lancé dans les années 1950 par le maire Jean Drapeau, prend toutefois forme peu à peu dans le quartier. En effet, plusieurs des grandes entreprises radiophoniques et télévisuelles s'y installent, à proxi-mité de la rue Sainte-Catherine. C'est d'abord, vers 1960, Télé-Métropole (aujourd'hui TVA) qui y loge, rue Alexandre-DeSève, ses studios et son administration. Puis, en 1968, Radio-Québec (devenue Télé-Québec en 1996) emménage à l'angle des rues Fullum et

PLACE DUPUIS
Érigé au-dessus de l'ancien magasin Dupuis, ce complexe imposant comprend un hôtel et des tours de bureaux.

Sainte-Catherine. Ensuite, en 1971, la Société Radio-Canada commence à installer son personnel dans sa nouvelle tour érigée boulevard Dorchester (aujourd'hui René-Lévesque). D'autres entreprises du secteur audiovisuel suivent leur exemple.

Des populations homosexuelles commencent à la même époque à venir habiter les vieilles maisons du quartier, dont plusieurs feront l'objet de rénovations. Cette migration de gais et de lesbiennes transforme la composition démographique du quartier. Selon une étude de la Ville de Montréal, en 2001, les hommes y sont surreprésentés, puisqu'ils forment 59 % de la population (comparativement à 48 % dans l'ensemble de la ville). En outre, il y a beaucoup moins d'enfants, puisque les moins de 20 ans ne comptent que pour 10 % (contre 22 % dans la ville). Dès les années 1980, des lieux de rencontre et des établissements commerciaux s'adressant explicitement à la clientèle homosexuelle ouvrent le long de la rue Sainte-Catherine. Leur nombre augmentant, l'expression « Village gai » apparaît bientôt pour désigner le segment de la rue entre la rue Saint-Hubert et l'avenue Papineau. Une animation intense s'y manifeste, surtout le soir et la nuit. La réputation du Village gai déborde bientôt du quartier et attire une clientèle métropolitaine et même internationale. L'administration municipale et les gouvernements le reconnaissent comme une destination touristique d'importance et en font la promotion. Les commerçants du secteur obtiennent même, à compter de 2008, que cette portion de la rue devienne totalement piétonne pendant l'été, ce qui leur permet d'y installer des terrasses. Ainsi, le Village gai représente un facteur important de la relance de la rue Sainte-Catherine dans le Centre-Sud.

DANS LE VILLAGE GAI
Scène de rue estivale.

L'EXTRÊME EST : UN HÉRITAGE DÉCIMÉ

Dans Hochelaga et Maisonneuve, la rue Sainte-Catherine a longtemps abrité un éventail très varié de magasins répondant aux besoins d'une population ouvrière nombreuse. Après 1970, la rue porte les séquelles de la désindustrialisation, qui touche durement ces deux quartiers autrefois réputés pour leur production manufacturière. Elle perd en outre une partie de sa clientèle la plus immédiate, juste au sud, quand, entre 1972 et 1974, les autorités font démolir environ 1200 logements qui bordent la rue Notre-Dame dans le but de construire une autoroute urbaine dont le projet sera ensuite abandonné.

La réduction et l'appauvrissement de la population affectent l'activité commerciale. Les magasins se vident et ne subsiste que le petit commerce de proximité : pharmacies, dépanneurs, salons de coiffure, etc. Une société de développement commercial rassemble les gens d'affaires de la rue et tente de la relancer. L'artère souffre cependant de la concurrence de la rue Ontario, beaucoup mieux située au cœur du quartier et dont les commerçants paraissent plus dynamiques. Ceux-ci profitent aussi d'investissements publics, tels la réouverture du marché Maisonneuve et l'aménagement de la place Valois.

Avec les nombreux duplex, triplex et quintuplex qui la bordent, auxquels se sont ajoutés des immeubles d'appartements, cette portion de la rue Sainte-Catherine Est a toujours eu une forte composante résidentielle. Dans la plupart des cas, l'occupation par un magasin ou un point de service se limitait au rez-de-chaussée, tandis que les étages supérieurs abritaient des locataires. Au début du XXIe siècle, cette vocation résidentielle est encore renforcée à la suite de la fermeture

GRANDE FÊTE, RUE SAINTE-CATHERINE
En 2004, Miyuki Tanobe rend compte de l'esprit de fête qui règne à l'angle de la rue Plessis.

DANS MAISONNEUVE
En 1977, le caractère commercial de la rue est toujours apparent.

de nombreux magasins. Toutefois, plusieurs maisons vieillissent mal et certaines sont carrément délabrées. Si d'autres portions de la rue ont réussi leur relance, celle-ci attend toujours la sienne.

C'est donc bien de renaissance dont il faut parler à propos de la rue Sainte-Catherine, tant les coups qu'elle a subis ont été douloureux. Commerçants et consommateurs, artistes et spectateurs, de nombreux intervenants ont contribué à réinventer la rue et ses activités.

Certes la production industrielle l'a quittée et le travail administratif a prospéré le long d'autres artères. Deux secteurs sont tout de même au cœur de la réinvention de la rue : le commerce et la culture. Le premier, longtemps porté par les grands magasins, doit sa renaissance à l'arrivée d'un nouveau type de boutiques. Le second a comme fer de lance la Place des Arts, mais s'y greffent des composantes nouvelles : des salles de spectacle réaménagées, des galeries d'art dans les anciens locaux industriels et la place des Festivals.

Les effets de cette renaissance sont inégalement répartis. Les segments les plus dynamiques sont, dans l'ouest, entre les rues Guy et Saint-Urbain, et dans l'est, autour de l'UQAM et du Village gai. Il faut souhaiter que leur vitalité se diffuse plus largement et contribue à renouveler la trame urbaine de l'ensemble de l'artère.

LA RUE SAINTE-CATHERINE EN 2010
(pages 218-219)

CONCLUSION

Quelle histoire extraordinaire que celle de la rue Sainte-Catherine !
Née bien modestement il y a 250 ans, elle est ensuite devenue une
des artères les plus célèbres de Montréal.

D'abord concentré des deux côtés du chemin Saint-Laurent, son
tracé s'est ensuite déployé au fur et à mesure de l'urbanisation du territoire et du peuplement de la ville. Pendant longtemps, c'est une simple
rue résidentielle qui prend la couleur de chacun des quartiers qu'elle
traverse. Assez tôt, elle attire aussi de nombreux temples représentant les principales Églises actives à Montréal. Dans la seconde moitié
du XIXᵉ siècle, le petit commerce de proximité s'y installe à son tour,
multipliant les enseignes et les magasins.

Vers la fin du siècle, l'implantation des grands magasins change
pour toujours la vocation de cette rue, en faisant le pivot du commerce
de détail et lui assurant une attraction à l'échelle métropolitaine. Les
grands magasins, qui ne cessent de s'agrandir, donnent vraiment le
ton et entraînent à leur suite un vaste éventail de points de vente spécialisés. Le petit commerce indépendant reste ainsi une composante
essentielle de l'artère, à côté de ses prestigieux voisins. Pendant des
décennies, la rue Sainte-Catherine est le royaume de la mode à
Montréal, la destination des consommatrices qui, par milliers chaque
jour, fréquentent ce paradis du magasinage.

Après avoir supplanté le Vieux-Montréal pour le commerce de détail,
la rue Sainte-Catherine lui ravit la fonction de centre-ville. Il lui faut quelques décennies afin d'y parvenir, mais dès le début du XXᵉ siècle, des
immeubles de bureaux émergent le long de la voie et dans les rues environnantes. La présence quotidienne de forts effectifs d'employés
accroît encore l'animation qui caractérise déjà l'artère. De nombreuses
lignes de tramways les y emmènent de tous les coins de la ville.

La rue Sainte-Catherine se retrouve même, pendant un certain
temps, au cœur de l'industrie montréalaise du vêtement. D'imposants immeubles de béton y abritent des ateliers de confection, où
œuvrent de nombreux immigrants. D'autres entreprises manufacturières sont aussi présentes le long de la rue, aussi bien dans l'ouest
que dans l'est.

La nuit, la rue acquiert une autre personnalité, formant un long ruban d'enseignes illuminées et scintillantes. Ses palaces du cinéma, ses théâtres et ses boîtes de nuit se remplissent d'une foule différente, avide de culture ou de divertissement. Plus à l'ouest, le Forum fait vibrer les amateurs de sport. La rue Sainte-Catherine fait la fête, elle anime les folles nuits de Montréal et rayonne de tous ses feux.

Dans les dernières décennies du xxᵉ siècle, le réveil est toutefois brutal. Les aléas de l'économie montréalaise font sentir leurs effets, en même temps que la croissance de la banlieue éloigne de la rue Sainte-Catherine un nombre substantiel de consommateurs. De véritables institutions, notamment les grands magasins Dupuis, Simpson et Eaton, disparaissent à tout jamais et leurs dépouilles doivent être recyclées. L'artère la plus fréquentée de la ville vit des jours sombres qui culminent au début des années 1990. Puis vient une éclatante renaissance, polarisée par la mode et la culture, les deux piliers qui, depuis longtemps, forment les vecteurs du caractère spécifique de la rue.

Cette histoire de la rue Sainte-Catherine a permis d'évoquer des pans entiers de l'histoire de Montréal, tant le sort de l'artère se confond avec celui de la ville dans son ensemble. Depuis plus d'un siècle, les Montréalais sont nombreux à fréquenter cette artère pour y travailler, y magasiner, s'y divertir et s'y nourrir. La mémoire de la rue Sainte-Catherine est bien vivante et continue de s'enrichir chaque jour.

Raconter en un volume 250 ans d'une histoire aussi riche représentait un défi. Il fallait nouer de nombreux fils pour tisser cette tapisserie complexe. Cette première synthèse de l'histoire de la rue Sainte-Catherine a permis d'en tracer les grandes lignes, mais elle est loin d'avoir épuisé le sujet. Il y aurait tant à dire sur chaque petit commerce et sur chaque salle de spectacle qui a occupé une portion de son territoire quelques années ou quelques décennies durant. Il y aurait tant de recherches à faire pour connaître le destin de ceux et celles qui l'ont habitée ou qui y ont travaillé, pour raconter leurs joies et leurs peines, mais aussi leur contribution à la spécificité de la rue.

Cet ouvrage fournit des clés pour comprendre le rôle central de la rue Sainte-Catherine dans l'histoire et dans l'actualité de Montréal. Il permet aussi d'apprécier la complexité et la richesse de son histoire. À chaque lecteur de la compléter en y greffant sa propre mémoire de la rue.

BIBLIOGRAPHIE SÉLECTIVE

Pour en savoir plus, on consultera avec intérêt les sites Internet des grands musées d'histoire, de Bibliothèque et Archives nationales du Québec, de la Ville de Montréal et des encyclopédies canadiennes. Plusieurs des sociétés et organisations mentionnées dans le livre présentent aussi des informations historiques sur leur propre site.

HISTOIRE DE MONTRÉAL

ANCTIL, Pierre. *Saint-Laurent. La Main de Montréal*, Sillery, Septentrion ; Montréal, Pointe-à-Callière, Musée d'archéologie et d'histoire de Montréal, 2002, 109 p.

BENOÎT, Michèle et Roger GRATTON. *Pignon sur rue. Les quartiers de Montréal*, 2ᵉ éd., Montréal, Guérin, 1991, 393 p.

BLANCHARD, Raoul. *Montréal : esquisse de géographie urbaine*, Montréal, VLB, 1992, 279 p.

BLANCHET, Renée et Léo BEAUDOIN. *Jacques Viger, une biographie*, Montréal, VLB, 2009, 270 p.

BURGESS, Joanne *et al. Clés pour l'histoire de Montréal*, Montréal, Éditions du Boréal, 1992, 247 p.

BURGESS, Joanne. *Une histoire illustrée du faubourg Saint-Laurent*, Montréal, Table de concertation du faubourg Saint-Laurent, 2009, 52 p.

LAUZON, Gilles et Madeleine FORGET, dir. *L'histoire du Vieux-Montréal à travers son patrimoine*, Québec, Publications du Québec, 2004, 292 p.

LESSARD, Michel, dir. *Montréal au xxᵉ siècle, regards de photographes*, Montréal, Éditions de l'Homme, 1995, 335 p.

LESSARD, Michel. *Montréal, métropole du Québec : images oubliées de la vie quotidienne, 1852-1910*, Montréal, Éditions de l'Homme, 1992, 303 p.

LINTEAU, Paul-André. « Ruelle », Christian Topalov et *al.,* dir. *L'aventure des mots de la ville*, Paris, Robert Laffont/Bouquins, 2010, p. 1079-1082.

LINTEAU, Paul-André. *Brève histoire de Montréal*, 2ᵉ éd. augm., Montréal, Boréal, 2007, 189 p.

LINTEAU, Paul-André. *Histoire de Montréal depuis la Confédération*, 2ᵉ éd. augm. Montréal, Boréal, 2000, 627 p.

LINTEAU, Paul-André. *Maisonneuve ou comment des promoteurs fabriquent une ville, 1883-1918*, Montréal, Boréal Express, 1981, 280 p.

MACKAY, Donald. *The Square Mile : Merchant princes of Montreal*, Vancouver, Douglas & McIntyre, 1987, 223 p.

MacLeod, Roderick. *Salubrious Settings and Fortunate Families : the Making of Montreal's Golden Square Mile, 1840-1895*, Thèse de doctorat (histoire), Montréal, Université McGill, 1997, 250 p.

Perin, Roberto. *Ignace de Montréal, artisan d'une identité nationale*, Montréal, Boréal, 2008, 303 p.

Perron, Joseph Alexandre S. et Gaspard Dauth. *Le diocèse de Montréal à la fin du dix-neuvième siècle avec portraits du clergé*, Montréal, E. Sénécal, 1900, 800 p.

Robert, Jean-Claude. *Atlas historique de Montréal*, Montréal, Art Global et Libre Expression, 1994, 167 p.

Stewart, Alan M. *Settling an 18 th century faubourg : property and family in the Saint-Laurent suburb, 1735-1810*, Mémoire de maîtrise (histoire), Montréal, Université McGill, 1988, 230 p.

ARCHITECTURE, URBANISME ET PATRIMOINE

Cohen-Rose, Sandra. *Northern deco : Art deco architecture in Montreal*, Montréal, Corona, 1996, 175 p.

Communauté urbaine de Montréal, Service de planification du territoire. *Répertoire d'architecture traditionnelle*, Montréal, Communauté urbaine de Montréal, 14 vol.

Demers, Clément. « Le nouveau centre-ville de Montréal », *Cahiers de géographie du Québec*, vol. 27, n° 71, septembre 1983, p. 209-235.

Forget, Madeleine. *Les gratte-ciel de Montréal*, Montréal, Éditions du Méridien, 1990, 164 p.

Fougères, Dany. « Des rues et des hommes : les commencements des politiques publiques locales en matière de travaux publics. Montréal, 1796-1840 », *Scientia Canadensis*, vol. 25, été 2003, p. 31-65.

Gournay, Isabelle et France Vanlaethem. *Montréal, métropole, 1880-1930*, Montréal, Centre canadien d'architecture, Boréal, 1998, 223 p.

Gournay, Isabelle. « Le restaurant Eaton », *Continuité*, n° 42, hiver 1989, p. 20-23.

Hanna, David B. « Creation of an Early Victorian Suburb in Montreal », *Urban History Review/Revue d'histoire urbaine*, vol. 9, n° 2, octobre 1980, p. 38-64.

Lachapelle, Jacques. *Le fantasme métropolitain. L'architecture de Ross et Macdonald*, Montréal, Les Presses de l'Université de Montréal, 2001, 176 p.

Lortie, André, dir. *Les années 60 : Montréal voit grand*, Montréal, Centre canadien d'architecture, 2004, 205 p.

Marchand, Sarah et Paul-André Linteau. *Investir, construire et habiter le monde. Les 25 ans de SITQ, histoire et perspectives*, Montréal, Boréal, 2009, 165 p.

Marsan, Jean-Claude. *Montréal en évolution. Historique du développement de l'architecture et de l'environnement urbain montréalais*, 3ᵉ éd., Laval, Éditions du Méridien, 1994, 515 p.

Pinard, Guy. *Montréal : son histoire, son évolution*, Montréal, Éditions du Méridien et La Presse, 1987, six vol.

ÉCONOMIE ET COMMERCE

Baril, Gérald. *Dicomode : dictionnaire de la mode au Québec de 1900 à nos jours*, Montréal, Fides, Centre de développement de matériel didactique, 2004, 382 p.

Beauregard, Ludger, dir. « Le commerce de détail à Montréal/Montreal Retailing » dans *Montréal, guide d'excursions*, 22ᵉ Congrès international de géographie/Montreal, field guide : 22ⁿᵈ International Geographical Congress ». Montréal, Presses de l'Université de Montréal, 1972, 197 p.

Beauregard, Ludger et Normand Dupont. « La réorganisation du commerce dans la région métropolitaine de Montréal », *Cahiers de géographie du Québec*, vol. 27, nᵒ 71, septembre 1983, p. 277-305.

Burgess, Joanne. *Paysages industriels en mutation*, Montréal, Écomusée du fier monde, 1997, 88 p.

Charbonneau, Daniel. *L'émergence d'une artère commerciale : la rue Sainte-Catherine de Montréal, 1870-1913*, Mémoire de maîtrise (histoire), Montréal, Université du Québec à Montréal, 2006, 200 p.

Chouinard, Annie. *De la tablette à la table. Les épiceries fines et l'alimentation bourgeoise à Montréal à la fin du xixᵉ siècle : regards sur un bourgeois montréalais*, Rapport de recherche de maîtrise, Université du Québec à Montréal, 2010.

Comeau, Michelle. « Les grands magasins de la rue Sainte-Catherine à Montréal : des lieux de modernisation, d'homogénéisation et de différenciation des modes de consommation », *Revue d'histoire de la culture matérielle*, nᵒ 41, printemps 1995, p. 58-68.

Comeau, Michelle. « Étalages, vitrines, services et nouveaux espaces. Trois grands magasins de Montréal durant les années 1920 » dans *Vivre en ville : Bruxelles et Montréal aux xixᵉ et xxᵉ siècles,* sous la dir. de Paul-André Linteau et Serge Jaumain, Bruxelles, P.I.E. Peter Lang, 2006, p. 259-289.

Côté, Luc et Jean-Guy Daigle. *Publicité de masse et masse publicitaire : le marché québécois des années 1920 aux années 1960*, Ottawa, Presses de l'Université d'Ottawa, 1999, 362 p.

De Andia, Béatrice, dir. *Les cathédrales du commerce parisien. Grands magasins et enseignes*, Paris, Action artistique de la Ville de Paris, 2006, 238 p.

DeSerres, Hélène. *Omer DeSerres, trois générations créatives*, Montréal, Éditions de l'Homme, 2008, 190 p.

Dupuis-Leman, Josette. *Dupuis frères, le magasin du peuple : plus d'un siècle de fierté québécoise*, Montréal, Stanké, 2004, 290 p.

Fortier, Yvan. « Cher Noël... Noël Cher », *Continuité*, hiver 1989, p. 32-35.

Garceau, Henri-Paul. *Chronique de l'hospitalité hôtelière du Québec de 1880 à 1940 : les pionniers*, Montréal, Éditions du Méridien et Publications du Québec, 1990, 212 p.

Giroux, Éric. *Commerce du coin : quartier Sainte-Marie, Montréal,* Montréal, Écomusée du Fier monde, 2009, 37 p.

Hamelin, Jean et Yves Roby. *Histoire économique du Québec, 1851-1896*, Montréal, Fides, 1971, 436 p.

« Les grands magasins. Un nouvel art de vivre », numéro thématique de *Cap-aux-diamants*, n° 40, hiver 1995.

Lewis, Robert. *Manufacturing Montreal. The Making of an Industrial Landscape : 1850 to 1930,* Baltimore, Johns Hopkins University Press, Creating the North American landscape collection, 2000, 336 p.

Linteau, Paul-André. « Le transport en commun dans les villes », Norman R. Ball, dir. *Bâtir un pays. Histoire des travaux publics au Canada*, Montréal, Boréal, 1988, p. 73-100.

McNally, Larry. « Routes, rues et autoroutes dans Norman R. Ball, dir. *Bâtir un pays. Histoire des travaux publics au Canada*, Montréal, Boréal, 1988, p. 45-72.

Morgan, Henry & Co., *80 années de commerce, 1843-1923,* Montréal, Henry Morgan & Company Limited, 1923, 16 p.

O'Donnell, Lorraine. « Le voyage virtuel : Les consommatrices, le monde de l'étranger et Eaton à Montréal, 1880-1980 », *Revue d'histoire de l'Amérique française,* vol. 58, n° 4, 2005, p. 535-568.

Petitclerc, Martin. *Nous protégeons l'infortune : les origines populaires de l'économie sociale au Québec*, Montréal, VLB, 2007, 278 p.

Sifton, Elizabeth. « Montreal's Fashion Mile : St. Catherine Street, 1890-1930 » dans *Fashion : A Canadian Perspective,* sous la dir. d'Alexandra Palmer, Toronto, University of Toronto Press, 2004, p. 203-226.

Stewart, Alan M. « La rue Sainte-Catherine, l'artère commerciale de Montréal » dans *Avant le cybercommerce. Une histoire du catalogue de vente par correspondance au Canada*, en ligne : <http://www.civilization.ca/cmc/exhibitions/cpm/catalog/cat2411f.shtml#1235464>.

Stewart, Alan M. « Mail-order businesses of Henry Morgan & Company and the department stores of Sainte-Catherine Street West, Montréal, 1880s to 1930 ». Rapport présenté au Musée canadien des civilisations, avril 2003, 105 p.

WARREN, Jean-Philippe. *Hourra pour Santa Claus ! La commercialisation de la saison des fêtes au Québec, 1885-1915*, Montréal, Boréal, 2006, 301 p.

CULTURE ET DIVERTISSEMENT

BOURASSA, André G. et Jean-Marc LARRUE, *Les nuits de la « Main ». Cent ans de spectacles sur le boulevard Saint-Laurent (1891-1991)*, Montréal, VLB, « Études québécoises », 1993, 361 p.

CAMBRON, Micheline, dir. *La vie culturelle à Montréal vers 1900*, Montréal, Fides, Bibliothèque nationale du Québec, 2005, 412 p.

CHARPENTIER, Marc. *Broadway North : Musical Theatre in Montreal in the 1920s*, Thèse de doctorat (histoire), Montréal, Université McGill, 1999, 243 p.

DUVAL, Laurent. *L'étonnant dossier de la Place des Arts, 1956-1967*, Montréal, Louise Courteau, 1988, 427 p.

GAUDEAULT, André, Germain LACASSE et Jean-Pierre SIROIS-TRAHAN. *Au pays des ennemis du cinéma*, Québec, Nuit Blanche, 1996, 215 p.

GERMAIN, Georges-Hébert. *Un musée dans la ville : une histoire du Musée des beaux-arts de Montréal*, Montréal, Musée des beaux-arts de Montréal, 2007, 270 p.

GILMORE, John. *Swinging in Paradise*, Toronto et Montréal, University of Toronto Press/ Vehicule Press, 1988, 322 p.

GREFFARD, Madeleine et Jean-Guy SABOURIN. *Le théâtre québécois*, Montréal, Boréal, 1997, 120 p.

HÉBERT, Chantal. *Le burlesque au Québec : un divertissement populaire*, La Salle, Hurtubise HMH, 1981, 302 p.

ILLIEN, Gildas. *La Place des Arts et la Révolution tranquille : les fonctions politiques d'un centre culturel*, Sainte-Foy, Éditions de l'IQRC, 1999, 151 p.

LACASSE, Germain. *Histoire de scopes. Le cinéma muet au Québec*, Montréal, Cinémathèque québécoise, 1988, 104 p.

LANKEN, Dane. *Montreal Movie Palaces : Great Theatres of the Golden Era, 1884-1938*, Waterloo, Penumbra Press, 1993, 190 p.

LARRUE, Jean-Marc. *Le théâtre à Montréal à la fin du XIXe siècle*, Montréal, Fides, 1981, 139 p.

LEFEBVRE, Marie-Thérèse et Jean-Pierre PINSON. *Chronologie musicale du Québec, 1535-2004*, Québec, Septentrion, 2009, 366 p.

LEVER, Yves. *Histoire générale du cinéma au Québec*, éd. ref. et mise à jour, Montréal, Boréal, 1995, 635 p.

Lévesque, Andrée. « Éteindre le Red Light : les réformateurs et la prostitution à Montréal entre 1865 et 1925 », *Revue d'histoire urbaine/Urban History Review*, vol. 17, n° 3, février 1989, p. 191-201.

Marrelli, Nancy. *Stepping Out : the Golden Age of Montreal Night Clubs, 1925-1955*, Montréal, Vehicule Press, 2004, 141 p.

Moore, Paul S. « Movie palaces on Canadian downtown main streets : Montreal, Toronto, and Vancouver », Revue d'histoire urbaine/*Urban History Review*, vo. 32, n° 2, printemps 2004, p. 3-20.

Normand, Léandre et Pierre Bruneau. *Les légendes des Canadiens : les 100 joueurs qui ont marqué l'histoire*, Montréal, Éditions de l'Homme, 2009, 639 p.

Proulx, Daniel. *Le Red Light de Montréal*, Montréal, VLB, 2002 (1997), 83 p.

Sicotte, Anne-Marie. *Gratien Gélinas en images : un p'tit comique à la stature de géant*, Montréal, VLB, 2009, 173 p.

Weintraub, William. *City Unique. Montreal Days and Nights in the 1940s and '50s*, Toronto, Robin Brass Studio, 2004 [1996], 332 p.

CRÉDITS

Malgré de nombreuses tentatives, nous ne sommes pas parvenus à joindre tous les ayants droit des documents reproduits. Toute personne possédant des renseignements supplémentaires à ce sujet est priée de communiquer avec Les Éditions de l'Homme à l'adresse électronique: edhomme@groupehomme.com.

CRÉDITS ICONOGRAPHIQUES

CHAPITRE 1

p. 14 MP-0000.1452.15 © Musée McCord.

p. 18 II-94237 © Musée McCord.

p. 19 John Adams, *Map of the City and Suburbs of Montreal*, Livres rares et collections spécialisées – Bibliothèque de l'Université McGill, 1825.

p. 20 1998.2729 © Collection Musée du Château Ramezay.

p. 21 Fonds des juges de paix de Montréal, VM35, S3, D1 © Archives de la Ville de Montréal.

p. 22 M16423 © Musée McCord.

p. 24 *Le Monde illustré*,– vol 14, n° 726, 2 avril 1898, © Bibliothèque et Archives nationales du Québec.

p. 25 VM94, Uc-1348-93 © Archives de la Ville de Montréal.

p. 26 Charles Goad, *Atlas of the City of Montreal*, 1890 © Bibliothèque et Archives nationales du Québec.

p. 27 MP-0000.893.9 © Musée McCord.

p. 28 *Montreal Illustrated*, Montréal : Consolidated Illustrating Company, 1894, p. 334.

p. 30 Photographe : Alain Vandal © Collection Ville de Montréal.

p. 31 *Montreal Illustrated*, Montréal : Consolidated Illustrating Company, 1894, p. 128.

p. 32 M315 © Musée McCord.

p. 33 J. Douglas Borthwick, *History of Montreal, including the streets of Montreal, their origin and history*, Montreal : D. Gallagher, 1897, p. 178. MP-1978.207.1.22 © Musée McCord.

p. 34 BM42 G1511, Fonds Edgar Gariépy © Archives de la Ville de Montréal.

p. 35 CA601, S53, SS1 ,P1,334 © Bibliothèque et Archives nationales du Québec.

p. 36 II-74192 © Musée McCord.

p. 38 I-19146.1 © Musée McCord.

p. 38-39 *Lovell's Montreal Directory for 1889-90*, p. 229 © Bibliothèque et Archives nationales du Québec.

p. 40 © Collection Pointe-à-Callière.

p. 42-43 R3153 2 4630 001 © Archives de la Ville de Montréal.

p. 44 © Collection Pointe-à-Callière.

p. 46 PA-028714 © Bibliothèque et Archives Canada.

p. 48 *Montreal Illustrated*, Montréal: Consolidated Illustrating Company, 1894, p. 124.

p. 50 *La Patrie*, 26 juin 1909 © Bibliothèque et Archives nationales du Québec.

p. 51 VM98 Y2 P034 © Archives de la Ville de Montréal.

p. 53 *Canadian Illustrated News*, 25 déc. 1875 © Bibliothèque et Archives nationales du Québec.

CHAPITRE 2

p. 54 VM94-A27-8 © Archives de la Ville de Montréal.

p. 56 Annonce parue dans *Les Nouvelles de l'Est*, le 18 janvier 1950, reproduite avec l'autorisation de l'Atelier d'histoire Hochelaga-Maisonneuve.

p. 57 © Collection Pointe-à-Callière.

p. 58 P547, S1, SS1, SSS1, D2, P2554 © Bibliothèque et Archives nationales du Québec.

p. 59 : © Collection Pointe-à-Callière.

p. 60 R3153-2_5850-001 © Archives de la Ville de Montréal.

p. 61 *The Gazette*, 25 avril 1891.

p. 62 Fonds E.-Z. Massicotte – n° 5-137-e © Bibliothèque et Archives nationales du Québec.

p. 63 VM94-Z1819 © Archives de la Ville de Montréal.

p. 65 h: © Collection Pointe-à-Callière; b :Collection particulière.

p. 66 VM94 Z116 © Archives de la Ville de Montréal.

p. 67 Annonce parue dans *Les Nouvelles de l'Est*, le 22 février 1950, reproduite avec l'autorisation de l'Atelier d'histoire Hochelaga-Maisonneuve.

p. 68-69 © Collection Rosaire Archambault.

p. 70 h: Annonce parue dans *Les Nouvelles de l'Est*, le 11 janvier 1950, reproduite avec l'autorisation de l'Atelier d'histoire Hochelaga-Maisonneuve ; b : photographe : Richard-Max Tremblay © Collection du Musée du costume et du textile du Québec.

p. 71 : © Collection Pointe-à-Callière

p. 72 : NAC 90-2997 © Musée de la civilisation.

p. 73 : Archives de l'Université McGill.

p. 74 : Complexe Les Ailes, photographe : Alain Vandal, NAC MC99.015.5.

p. 75 : © Wikimedia Commons / Colin Rose.

p. 76 VM94-Z0069-1 © Archives de la Ville de Montréal.

p. 77 Collection Magella Bureau, P547, S1, SS1, SSS1, D2, P1429 © Bibliothèque et Archives nationales du Québec.

p. 78-79 Collection initiale, P318, S2, P12 © Bibliothèque et Archives nationales du Québec, Centre d'archives de Montréal.

p. 80 : Photographe : Angie Kim.

p. 81 Annonce parue dans *Les Nouvelles de l'Est*, le 25 janvier 1950, reproduite avec l'autorisation de l'Atelier d'histoire Hochelaga-Maisonneuve.

p. 82 © Archives de la Ville de Montréal.

p. 83 h: Annonce parue dans *Les Nouvelles de l'Est*, le 18 janvier 1950, reproduite avec l'autorisation de l'Atelier d'histoire Hochelaga-Maisonneuve ; b : 24844 © Musée McCord.

p. 84-85 © Collection de la Compagnie de la Baie d'Hudson, Toronto.

p. 86 © Collection Pointe-à-Callière.

p. 87 NAC 75-505-0003 © Musée de la civilisation.

p. 88 *Gar Lunne, Office national du film. Photothèque*, PA-133218 © Bibliothèque et Archives Canada.

p. 89 NAC 93-1452 © Musée de la civilisation.

CHAPITRE 3

p. 90 VM94-Z1820 © Archives de la Ville de Montréal.

p. 92 R3153-Z1110-013 © Archives de la Ville de Montréal.

p. 93 © Archives de la Financière Sun Life.

p. 94 VM94-Z167 © Archives de la Ville de Montréal.

p. 96 MP-1977.140.6.35 © Musée McCord.

p. 97 R3153-2_1465-3209E-011 © Archives de la Ville de Montréal.

p. 98 R3153-2_680-8830-009 © Archives de la Ville de Montréal.

p. 99 R3153-2_554-1174E-009 © Archives de la Ville de Montréal.

p. 100 1998.7292 © Musée du Château Ramezay.

p. 101 R3153-2_282-4620-002 © Archives de la Ville de Montréal.

p. 102-103 VM94Z454 © Archives de la Ville de Montréal.

p. 104 VM-A27-5 © Archives de la Ville de Montréal.

p. 105 © Collection du Centre d'histoire de Montréal.

p. 106 *La Patrie*, 16 avril 1908 © Bibliothèque et Archives nationales du Québec.

p. 107 R3153-2_1465-3209E-008 © Archives de la Ville de Montréal.

p. 109 Album Massicotte, 4-126-c © Bibliothèque et Archives nationales du Québec.

p. 110-111 VM94-Z1818 © Archives de la Ville de Montréal.

p. 112 Centre d'archives de Montréal, Fonds Ministère de la Culture, des Communications et de la Condition féminine, E6-S7-SS1-P662111F © Bibliothèque et Archives nationales du Québec.

p. 114 G/3452/M65P22/1923/C642 CAR © Bibliothèque et Archives nationales du Québec.

p. 115 1989.285 © Centre d'histoire de Montréal.

p. 116 VM98-Y2, p019 © Archives de la Ville de Montréal.

p. 118-119 D'après la carte du métro de 1966 © Archives de la STM.

p. 119 © Collection du Centre d'histoire de Montréal.

p. 120 PR001091 © Service des archives de l'Université McGill.

p. 123 © Archives de *The Gazette*, Montréal.

p. 125 VM94-A27-9 © Archives de la Ville de Montréal.

CHAPITRE 4

p. 126 VM94-A144-26 © Archives de la Ville de Montréal.

p. 129 Queen's Hall, Albani Concerts, 27 mars 1883, Service de gestion de documents et des archives, (P58). Q1, 0207 © Université de Montréal. Collection Louis-François-George Baby.

p. 130 *La Patrie*, 4 mai 1912 © Bibliothèque et Archives nationales du Québec.

p. 131 Théâtre des variétés: 0002742047 ; Théâtre national français: 0002742047 © Bibliothèque et Archives nationales du Québec.

p. 132-133 R3153-2_1204E-005 © Archives de la Ville de Montréal.

p. 134 © Collection Cinémathèque québécoise.

p. 135 U367946INP © Bettmann/CORBIS.

p. 138 MP-1989.15.65 © Musée McCord.

p. 139 © Théâtre Denise-Pelletier © Héritage Montréal.

p. 140 © Collection Cinémathèque québécoise.

p. 142 Fonds Conrad Poirier, P48, S1, P14900 © Bibliothèque et Archives nationales du Québec.

p. 144-145 Jack Beder, *Cabaret* (Montmartre, Montréal) 1938 © droits réservés.

p. 146 h : Fonds Joe Bell, P010 © Archives de l'Université Concordia ; b : P004-02-005 © Archives de l'Université Concordia.

p. 147 PA-115228 © Bibliothèque et Archives Canada.

p. 148 h : VM94, Z-541-10 © Archives de la Ville de Montréal ; b : Fonds du comité de la moralité publique, CLG47/J,7 © Bibliothèque et Archives nationales du Québec.

p. 149 © Collection Cinémathèque québécoise.

p. 150 © Collection Cinémathèque québécoise.

p. 151 h : MSS461/052/011 © Bibliothèque et Archives nationales du Québec ; b : MG30-D406 © Bibliothèque et Archives Canada.

p. 152 © Fonds d'archives de la Place des Arts.

p. 153 Collection du Théâtre du Nouveau Monde déposée au Musée des maîtres et artisans du Québec, TNM 1.1-4 © Succession Alfred Pellan / SODRAC (2010).

p. 154-155 1970-019 NPC © Bibliothèque et Archives Canada.

p. 156 Gracieuseté du Théâtre du Nouveau Monde.

p. 157 Photographe : David Bier © Archives Club de hockey Canadien.

p. 158 © Archives Club de hockey Canadien.

p. 161 VM94-A412-1 © Archives de la Ville de Montréal.

CHAPITRE 5

p. 162 Photographe : Claude Robillard.

p. 164 Photographe : Angie Kim.

p. 167 89 © Images Montréal.

p. 168 Photographe : Caroline Bergeron.

p. 169 786 © Images Montréal.

p. 170 Maison du Festival Rio Tinto Alcan, photographe : Victor Diaz Lamich, 2009 © Festival international de jazz de Montréal .

p. 171 4638 © Images Montréal.

p. 173 VM94-A27-10 © Archives de la Ville de Montréal.

p. 174-175 Dimension DPR inc., Montréal à la carte 2000, © Ville de Montréal.

p. 176 790 © Images Montréal.

p. 178 Photographe : Caroline Bergeron.

p. 179 2005-11-11-1000 © Archives de la Ville de Montréal.

p. 180-183 Photographe : Caroline Bergeron.

p. 184 Photographe : Claude-Sylvie Lemery.

p. 185 Photographe : Caroline Bergeron.

p. 186 © Collection Pointe-à-Callière.

p. 187 CP-900629 © La Presse canadienne.

p. 188-189 Photographe : Martine Doyon.

p. 191 Michel Brunelle, Service des communications © Université du Québec à Montréal.

p. 192 Photographe : Caroline Bergeron.

p. 194 Photographe : Martine Doyon.

p. 195 © Ministère de la Culture, des Communications et de la Condition féminine, en partenariat avec le Groupe immobilier Ovation, Société en commandite. Architectes : Aedifica inc. et Diamond + Schmitt Architects inc.

p. 196-197 Photographe : Martine Doyon.

p. 199 Nomade architecture, 2004 © Partenariat du Quartier des spectacles.

p. 200 2009-09-09-1200 © Archives de la Ville de Montréal.

p. 201 h : 2009-09-07-1745 © Archives de la Ville de Montréal ; b : VM94-A106-2 © Archives de la Ville de Montréal.

p. 202 Jean-François Leblanc, 2005 © Festival international de jazz de Montréal.

p. 203 Frédérique Ménard-Aubin, 2005 © FrancoFolies de Montréal.

p. 204 785 © Images Montréal.

p. 205 h : © Prével ; b : photographe : Claude-Sylvie Lemery.

p. 206-207 © Place Desjardins.

p. 208 g : 2008-02-28-0930 © Archives de la Ville de Montréal ; d : Association des marchands de la rue Crescent.

p. 209 1572 © Images Montréal.

p. 210 Archives de l'Université du Québec à Montréal, Fonds du Service des communications 45U-412 :F3 :01/4.

p. 211 g : Wikimedia Commons / Jean Gagnon ; d : Montreal Nite Life.

p. 212 © Archives Omer DeSerres.

p. 213 2005-07-11-11300 © Archives de la Ville de Montréal.

p. 214 © Tourisme Montréal.

p. 216 Miyuki Tanobe, *Grande fête, rue Sainte-Catherine*, Montréal, 2004. Propriété des Éditions de l'Homme.

p. 217 Collection Atelier d'histoire Hochelaga-Maisonneuve.

p. 218-219 Photographe : Caroline Bergeron.

EXTRAITS DE LIVRES DÉJÀ PUBLIÉS

p. 23 Récit de l'abbé Pierre Poulin, dans Arthur Savaète, *Voix canadiennes. Vers l'abîme, IX*, p. 180 et suivantes, reproduit dans Léon Pouliot, *Monseigneur Bourget et la reconstruction de la cathédrale de Montréal, RHAF*, 17, 3, 1963, p. 340-341.

p. 64 Raoul Blanchard, *Montréal : esquisse de géographie urbaine*. Montréal, VLB, 1992.

p. 80 : Michel Tremblay, *La traversée de la ville*, Leméac Éditeur/ Actes Sud, p. 43, 2008.

p. 108 Michel Tremblay, Montréal, *La grosse femme d'à côté est enceinte*, Leméac Éditeur, 1978, p. 22-23.

p. 128 Extrait de *Magasin général*, Loisel & Tripp © Casterman. Avec l'aimable autorisation des auteurs et des Éditions Casterman.

p. 136 D'après Paul S. Moore, « Movie Palaces on Canadian Downtown Main Streets : Montreal, Toronto, and Vancouver », *Urban History Review/Revue d'histoire*, vol. XXXII, n° 2 (printemps 2004), p. 5.

p. 143 Gabrielle Roy, *Bonheur d'occasion*, Montréal, Boréal, 2009, coll. « Boréal compact », p. 20. © Fonds Gabrielle Roy ; page couverture de *Magasin général*, Loisel & Tripp © Casterman. Avec l'aimable autorisation des auteurs et des Éditions Casterman.

p. 147 William Weintraub, *City Unique, Montreal Days and Nights in the 1940s and '50s*, McClelland and Stewart, 1996, p. 117.

p. 160 Marc Robitaille, *Des histoires d'hiver avec des rues, des écoles et du hockey*, Montréal, VLB éditeur, 1987 © VLB éditeur et Marc Robitaille, 1987.

p. 166 Mona Latif-Ghattas, *Montréal vu par ses poètes*, Montréal, Mémoire d'encrier, 2006, p. 56.

INDEX

TABLE DES MATIÈRES

Suivez les Éditions de l'Homme sur le Web

Consultez notre site Internet et inscrivez-vous à l'infolettre pour rester informé en tout temps de nos publications et de nos concours en ligne. Et croisez aussi vos auteurs préférés et l'équipe des Éditions de l'Homme sur nos blogues!

www.editions-homme.com

Achevé d'imprimé au Canada